「検討します」と
先延ばしさせない
魔法の売り方

その場で買われる
7割の秘密

古山正太

技術評論社

●免責

本書に記載された内容は、情報の提供のみを目的としています。したがって、本書を用いた運用は、必ずお客様自身の責任と判断によっておこなってください。これらの情報の運用の結果について、技術評論社および著者はいかなる責任も負いません。

本書記載の情報は、刊行時のものを掲載していますので、ご利用時には変更されている場合もあります。

以上の注意事項をご承諾いただいたうえで、本書をご利用願います。これらの注意事項をお読みいただかずに、お問い合わせいただいても、技術評論社および著者は対処しかねます。あらかじめ、ご承知おきください。

●商標、登録商標について

本文中に記載されている製品の名称は、一般に関係各社の商標または登録商標です。なお、本文中では™、®などのマークを省略しています。

はじめに

はじめまして。

私は、１２０業種以上の課題解決に寄り添い、売上アップに貢献してきたセールスのプロ、古山正太と申します。

本書を手に取ってくださったあなたに、私が伝えたいのは、このひと言。

「必ず売れるようになります！　それも、その場で7割もの確率で！」

そして、これを実現するためには、一般的に必要と言われている伝え方や話し方、質問力などの従来の営業スキルを鍛えなくとも、お客様に感謝されながら喜ばれ、商品・サービスがバンバン売れる力が身につくことをお約束いたしましょう。

そう断言するにはワケがあります。

なぜなら、私は究極難易度と言われる職域実演販売型セールスに、大学卒業後にチャレンジしてから20年弱。オンライン、オフライン問わず120業種以上、さまざまな価格帯の商品・サービスをその場で販売してきたからです。

当然、その場で買っていただくことができているのは、私だけではありません。私のセールスメソッドを学んでいただいた1万人以上の方も、素直に実践していただいた方は、次のような成果を出しています。

●成約率が20→70%に！

社員にセールスを任せることが可能になり、売上2億→5億が見えました！（セミナー・研修会社副理事　M様）

●受注が難しい医療マーケットで次々と成約

第2期の経営塾の売上が13倍に（税理士　K様）

●米国トップのセミナーセールスの技術より凄いです！
売上ＵＰし、社員への報酬も上げることができました
（セミナー・研修会社代表 Ｈ様）

●成約率１００％！ 売上６倍、集客人数１０００人を達成！
（集客コンサルタント Ｉ様）

●自己流で20回以上やっても2割にも満たなかった成約率が
８割の成約を達成！
（Ｆａｃｅｂｏｏｋ集客コンサルタント Ｓ様）

●年収１０００万円↓１億円
生命保険業界のＴＯＰタイトルを獲得
（ファイナンシャルプランナー Ｙ様）

●投資対効果抜群！
まったく売れなかったセミナーが
売上累計2億円越え！（歯科専門コンサルタント T様）

●苦手だったZoom説明会で
100万超えの契約をバンバンいただけるように！
5回の説明会で売上5600万円！
（治療院コンサルタント・店舗経営 T様）

ここでお伝えした事例は、ごくごく一部です。
あなたも、本書をご覧になることで、今現在、次のような状況だとしても、
彼ら彼女らのような結果を出すための、はじめの一歩を踏み出せることをお約束します。

・口下手で、上手く商品の魅力が理解してもらえない
・「考えておきます」「検討します」と言われて、それっきりなことが多い

・営業力を高める研修に参加しても、学んだスキルを思うように活かせない
・人見知りで、お客様との関係性が作れない
・「高い」と言われ、値下げ交渉をされてしまう
・買ってもらうまでに、何度も説明しなければならない
・自身のセールスやプレゼンテーション、トークに納得できない
・その日の調子や、見込み客のタイプ次第で結果に大きくバラツキが出る
……etc

これらのお悩みが、まるっと解決します。

なぜ、解決できるのでしょうか？
それは、究極難易度のセールス体験にありました。

究極難易度の職域実演販売で、なぜ買ってもらえるのか
私の経歴について、お話しさせてください。

セールスのプロとしての道のりは、売上重視、結果主義の職域実演販売の世界からスタートしました。

職域実演販売と聞いて、ピンとくる方は少ないかもしれませんね。朝礼があり、多くの職員が働いている企業（国内の生命保険会社など）をターゲットに、「朝礼の後、15分間だけプレゼンテーションするお時間をください！」と飛び込み営業をして、アウェーな中でプレゼンし、その場で商品を買っていただくというものです。

ちなみに、この営業は究極難易度と呼ばれていました。その理由は大きく5つあります。

究極難易度と呼ばれている理由

①セールス、プレゼンテーションの相手は1人ではなく、1対多数（営業所の大きさ次第ですが小さいところで10名前後。大きなところでは200名前後に向けて同時に売らなければならない）

②生命保険会社は営業会社ゆえ、忙しい方が多く、だれも私の話を真剣に聞く気がない空気感。まさにアウェー

③「もう一度、プレゼンさせてください！」は通用しないワンチャンス

④プレゼンできる時間はたった15分

⑤販売していた商品は、良い商品ではあるものの、売れ残りの型落ち品（驚くべきことに、それらの商品は15万円以上）

そんな究極難易度の職域実演販売では、アドリブでセールス、プレゼンテーションをすることはありません。実演販売会社の社長が作ったシナリオをもとに話をするのです。「これを丸暗記して、そのまま喋りなさい」と数十ページの原稿を渡され、1ヶ月近くかけて丸暗記します。あとは、丸暗記した内容をセールスの現場でそのまま喋れば、どんなにアウェーな環境でも売ることができる強烈な内容なのです。

しかし、最初の数か月はまったく買ってもらえませんでした。給料は出来高制であったため、財布の中身はほとんど空。住む家もなく、友人知人の家に居候させてもらってなんとか生きている苦しい時期でした。

なぜ、私は売れなかったのか？

それは、社長のシナリオを、私が覚えやすいように、話しやすいようにアレンジしていたからです。結果、仮に商品・サービスの価値が100だとすると、私が伝え方をアレンジしたことにより100の価値が100で伝わらず、売り切ることができませんでした。

そんな私に、社長はアドバイスをくれました。

「このシナリオをアレンジせずにきちんと丸暗記しなさい。そして、そのまましゃべりなさい。そうすれば、必ず売れるから」

それを踏まえ、今度は社長のシナリオどおりに喋りました。すると、淡々と読むだけで、商品が売れるようになったのです。

私は、そのシナリオがなぜ売れるのかを徹底的に分析しました。その結果、売れるシナリオには次のことが重要と気づきました。

・**興味をそそる**
・**安心してもらう**
・**必要性を感じてもらう**
・**購入を後押しする**
・**言い訳をさせない**

その後私はこのノウハウを生かして、セールスコンサルタントとして独立。自分自身の商品・サービスのみならず、さまざまな方の売上ＵＰに貢献させていただきました。

本書では、その秘訣を余すところなくお伝えしています。本書を読めば、早ければ明日から、あなたもその場で売れるようになる可能性が高いでしょう。

その最初の一歩を、今から一緒に踏み出しましょう。

はじめに……3

第1章 興味をそそる……17
お客様のBDFを把握する……18
商品・サービスの特長を漏れなく把握する……23
お客様のBDFと重なる特長を〝だから何?〟の形で伝える……28
価値を伝え逃さない! あなたが常に自問自答すべき〝だから何?〟……31
お客様の価値観の物差しを意図的に誘導する……37
コラム セールスの一番の勉強はTVショッピングを観ること……39
「3タイプ活用法」でBDFの抜け漏れを防いで3倍伝わる、売れる!……41

第2章 好意と安心感をもってもらう……53
あなたとお客様の関係性が深まる共通点を見つけよう……54

好意を得るストーリーを自然に伝える……57
好感度を一瞬で0にしてしまわないように避けるべきこととは……69
実績・権威を示して安心感を与える……74
コラム　薄着より厚着がおすすめの理由　～あなた自身に権威性をまとわせる衣装の選び方……81

第3章　必要性を感じてもらう……83

「いきなり売り込まれた」と思われないための説明……84
お客様にしていただく自己紹介に「売れる仕掛け」を入れる……96
コラム　あなたの説明がスッと入るスライドのポイント……113

第4章　購入を後押しする……117

価格のアンカリングでお得に見せる……118
特典に価格を添えることで「どれだけ得したか」をわかりやすく示す……127
人は損したくない生き物！　商品・サービスに保証をつけよう……131

支払い方法を複数用意して、スムーズな購入に導く……133
売れる確率を上げる会場選びと演出のポイント……139
オンラインで成約率を上げるための3つのルール……145

第5章 言い訳をさせない……151

「検討します」を言わせない！ 質問や断り文句を先読みする……153
質問には「おすすめ」で回答するのがベスト……158
それでも「検討します」と言われる場合は、ココを疑え！……165
成約率を上げるためのキーワードは「51%以上」……168
挙手がない場合の切り返しのポイント……171
集団心理を用いて成約率をさらに高める……172
やり方次第で大逆転できる！ 自然で嫌らしくない締め方の極意……174
コラム お土産を声がけに利用する……183
それでもその場で買ってもらえなかったら……184

セールスの際には必ず応援を呼ぼう…………186

おわりに…………191

第1章

興味をそそる

どんな商品・サービスであろうと、まずお客様に興味関心を持ってもらう必要がありま す。では、どうすれば目の前のお客様に興味関心をもってもらえるのでしょうか？

それには、あなたのお客様が何に悩んでいて、何を欲しているかを把握したうえで、商品・サービスの価値を伝え切ることが重要です。具体的には、次の手順を踏みます。

①お客様のＢＤＦを把握する
②商品・サービスの特長を漏れなく把握する
③お客様のＢＤＦと重なる特長を〝だから何？〟の形で伝える

お客様のＢＤＦを把握する

商品・サービスの特長は、通常数点から数十点あるものです。そんな中、

お客様が

・あなたが販売する商品・サービスへの知識がない
・そもそも買う気があまりない

あなた自身の

・セールス、プレゼンテーション、商談の時間が短い

という場合は特に、特長の伝え方をまちがえると、まったく聞く耳を持ってくれなくなります。

また、あなた自身が気に入っている特長を、よかれと思って伝えても、お客様に興味関心を持っていただけるとは限りません。ビジネスはお客様ありきです。だからこそ、真っ先にお客様のニーズに応える特長から伝える必要があります。

では、お客様のニーズを把握するにはどうしたらいいのでしょうか？

そのためには、お客様をイメージし、競合を調査したり、今までに商品・サービス販売時に挙がった購入の決め手や断り文句を集め、お客様の性格、価値観をＢＤＦで把握します。

ＢＤＦとは、アメリカのマーケティングコンサルタントのマイケル・マスターソン氏が提唱した、マーケットリサーチに膨大な経費をかけずに見込み客を理解する手法です※。

ＢＤＦとは、次のようなことです。

●Ｂ：ビリーフ＝価値観・思い込み
お客様はあなたの商品・サービスに対してどのような価値観・思い込みを持っているか？

●Ｄ：デザイア＝欲求・悩み（俗にいうニーズ）
お客様は、どんな悩みを抱えているか？
どんなことを解決したいか？

●Ｆ：フィーリングス＝感情（特に、負の感情）
お客様は、どんなことに焦りを感じているか？
どんなことにイライラを感じているか？

事例　整体院

ここからは、実際に私がサポートしていたリピート率が非常に高く、繁盛している整体院の先生を例にご説明していきます。

この先生は、元ホテルマンから整体師となり、整体院を開業し、現在は独自の手法で高いリピート率を誇っていました。自身の施術の方法を世の中に広めて、より多くの整体院を救いたいということで、自身のリピート率アップのノウハウをまとめたセミナーを、リピート率に困っている同業者に販売していましたが、うまくいかず、私のもとを訪れました。

まず、私がおこなったのは、販売したいお客様（同業者の整体師）のBDFを把握することでした。調査したところ、次ページの図のようなBDFが浮かび上がりました。

仮にニーズ（BDFでいうところのD＝デザイア）に寄り添うだけであれば、次のようなタイトルになると思います。

「今すぐ簡単に売り込まずにリピート率が上がるセミナー」

※参考文献：『セールスライティング・ハンドブック』／ロバート・W・ブライ 著／鬼塚俊宏 監訳／南沢篤花 訳／翔泳社 刊

もちろん、これだけでも悪くはないのですが、昨今は競合も多く、よりお客様の興味関心を強くひき、一瞬で魅了するタイトルを作るべきです。

そこで使えるのが、デザイア（俗にいうニーズ）に加え、ビリーフやフィーリングスです。ビリーフやフィーリングスを活かすと、たとえばこんなセミナータイトルにすることができます。

「口下手でも、今すぐ簡単に売り込まずにリピート率が上がるセミナー」

ターゲットのビリーフ（リピート率が高い＝クチがうまくなければいけない）を活かす

▼販売したいお客様のBDF

●B（ビリーフ）＝価値観、思い込み

・できれば腕一本で繁盛したい
・繁盛するにはクチがうまくなければいけない

●D（デザイア）＝欲求

・今すぐリピート率を上げたい
・かんたんにリピート率を上げたい
・売り込みはしたくない

●F（フィーリングス）＝感情

・このままだと整体院を閉じなければいけない（焦り）
・自分の腕の価値がわからないお客様にイライラ
・クチがうまい、集客がうまいだけで腕がないのに繁盛している同業者にイライラ（でもじつは、うらやましい）

ことで、先ほどのタイトルよりも魅力になったと思います。

商品・サービスの特長を漏れなく把握する

次に、先生からどのような商品・サービスなのかを教えてもらいました。その結果、以下の図のような特長がわかりました。

この事例では、売り手の先生は、元々「リピート率アップには患者さんへの想いが最重要なんです!」と意気込んでいました。そして、セミナーのタイトル、セミナー募集ページのキャッチコピーにも「患者さんへの想

▼先生の商品・サービスの特長

- 元ホテルマン、現人気整体院オーナー兼院長
- 問診時に指人形を使って施術の内容や効果をイメージさせる
- 患者さんへの想い・愛情を表現することがリピート率を最大化するポイント
- リピートを取れるシナリオがある
  (院長自身のリピート率は90%平均、
  弟子も70%～90%を出している)

い」を全面的に採用して集客・販売をおこなっていました。
その結果、この商品はまったく売れませんでした。なぜならば、お客様のＢＤＦに何１つ刺さっていないからです。
お客様は、今すぐリピート率を上げたい、かんたんにできる内容がいいと思っていることが、ＢＤＦからわかります。

「お客様への想い次第でリピート率90％にできる！」

というキャッチコピーでは、お客様のデザイアに応えていないのです。

この事例で、ビリーフとデザイアの活かし方はイメージが湧いたことでしょう。では、フィーリングスはどのように活用するのでしょうか？
次の事例を通じて、理解してみましょう。

事例　ウェブデザイナー

Yさんは、ウェブデザイナーという肩書で起業したのはいいものの、同業者に埋もれてしまい、お仕事をいただくことが中々できませんでした。
そこで、私は次のようにコンサルティングをしました。

「Yさんは、ウェブデザインだけではなく、売れる文章術であるセールスコピーもお得意なので、肩書をセールスデザイン専門のウェブデザイナーにしてみませんか?」
「見込み客は私になりますから、私が申し込みをしたくなるようなページを作ればいいのです」

私は過去にウェブデザイナーさんに自身のサービスを販売するページを作っていただく前は、こんなふうに考えていました。

・**ウェブデザイナーはデザインだけではなく、集客、販売に関する知識もある**

・こちらのほうで丁寧に指示書を作りこめば、指示した内容どおりに作ってもらえる
・指示、依頼した内容は素直に表現してもらえる
・バンバン売れるページを作ってほしい

しかし、出来上がったデザインを見せてもらって絶句しました。キャッチコピーなどは大きく目立つようにしてほしかったのですが、小さく、薄く、細い書体になっていました。しかも、必死に考えて作ったキャッチコピーは、デザイナーさん曰く「長すぎる」ということで、一部が削られていたのです。

ここで、ようやく私が思い込んでいたことに気がつきました。

多くのデザイナーさんは、オシャレな、カッコイイデザインができるようになりたくてデザイナーになっているのであり、バンバン売るためのデザインの仕方はご存じないどころか、一部のデザイナーさんは売るためのデザインを嫌悪しているということです。

その後、デザイナーさんとのやりとりでは、イライラしていることを抑えながら、「カッコイイ、オシャレであることは、こちらとしてはどうでもいいことなんだ！　とにかく売れるデザインに仕上げてくれ‼」ということを、柔らかく伝えたのです。

しかし、このデザイナーさんはこだわりが強い方だったようで、再提出していただいたデザインも、前回よりマシではありますが、キャッチコピーなど目立たせてもらいたいところが目立たなかったことから、依頼は失敗に終わりました。

私の憤り（フィーリングス）から完成した、セールスデザイン専門のウェブデザイナーさんのランディングページがこちらです。


「かっこいい」「おしゃれ」「ステキ」「かわいい」

そんなことはどうでも良い!!

頼むから「売れるデザイン」に仕上げてくれ！


私の憤り（フィーリングス）が反映されていますが、じつはこの憤り。

▼憤り（フィーリングス）が反映されたランディングページ

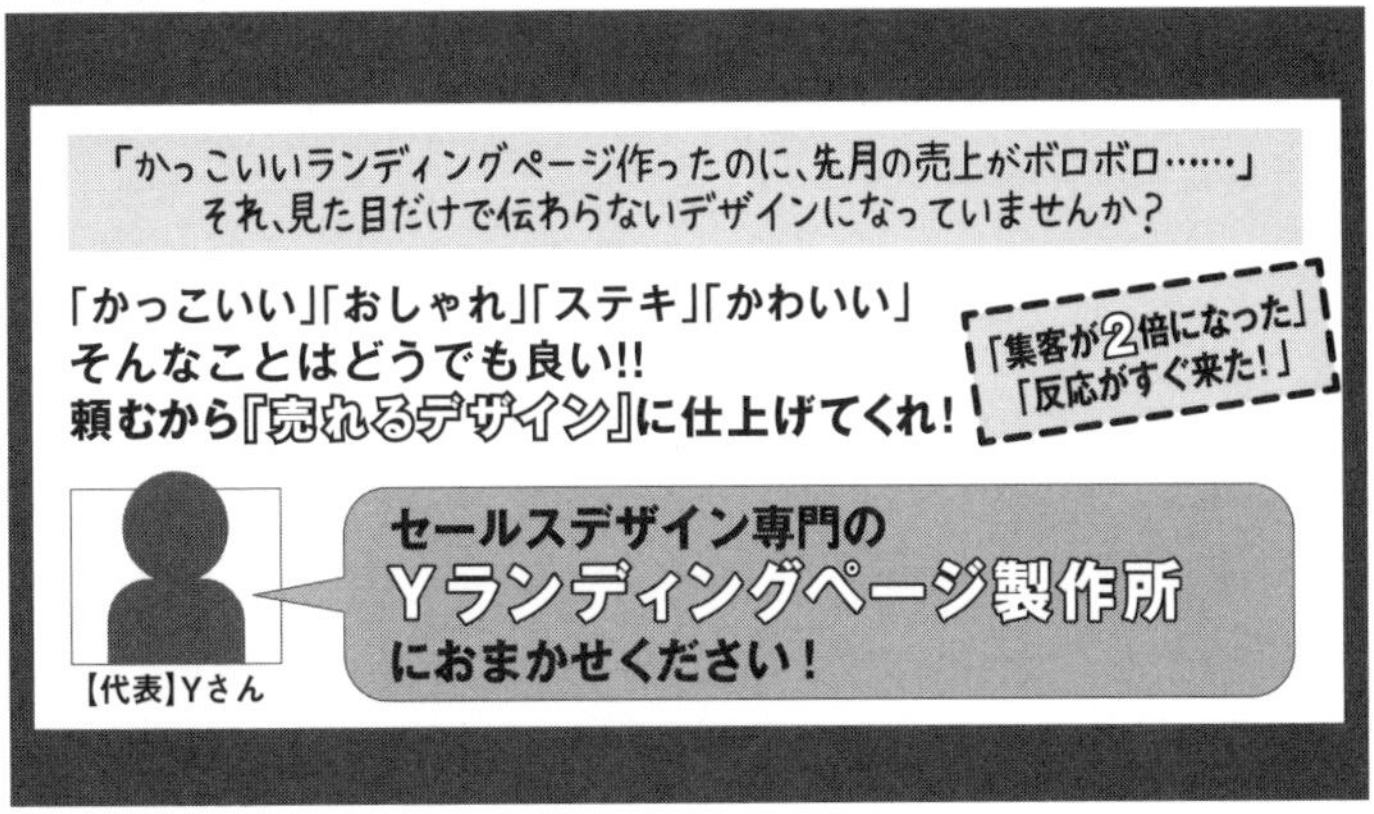
「かっこいいランディングページ作ったのに、先月の売上がボロボロ……」

それ、見た目だけで伝わらないデザインになっていませんか？

「かっこいい」「おしゃれ」「ステキ」「かわいい」

そんなことはどうでも良い!!

頼むから『売れるデザイン』に仕上げてくれ！

「集客が2倍になった」

「反応がすぐ来た！」

【代表】Yさん
セールスデザイン専門の
Yランディングページ製作所
におまかせください！

私だけではありません。

私のまわりの経営者、起業家、コンサルタントの中には私と似たような経験をしている方もいらっしゃることから、Yさんはこちらのページに切り替えてから、引く手あまたとなったのです。


いかがでしたか？

ご紹介した事例はセミナーのタイトルと、ランディングページのキャッチコピーですが、セールストーク、プレゼンテーション、ホームページ、チラシやFAX・DMなどの質を高めることにも大いに役立ちます。あなたも、単にお客様の欲求・悩み（デザイア）だけ把握するのではなく、ビリーフ、フィーリングスも把握して、よりお客様が反応せざるをえない表現ができるようにしていきましょう。

お客様のBDFと重なる特長を〝だから何？〟の形で伝える

あらためて整体院のお客様のＢＤＦと商品・サービスの特長を見てみましょう。

お客様は「今すぐ」「簡単に」を求めているのですが、特長の中からその欲求に応えることができるのはシナリオの部分になりそうです。

- Ｄ（デザイア）＝今すぐ簡単にリピート率を上げたい
- 特長＝リピート率が上がるシナリオがある

ＢＤＦとサービスの特長を照らし合わせたうえで、一番アピールすべきなのはここです。

この特長に「だから何？」「お客様にとってどういいの？」とツッコミを入れて、コピーを考えてみると……

▼お客様のBDFと商品・サービスの特長の重なりを見る

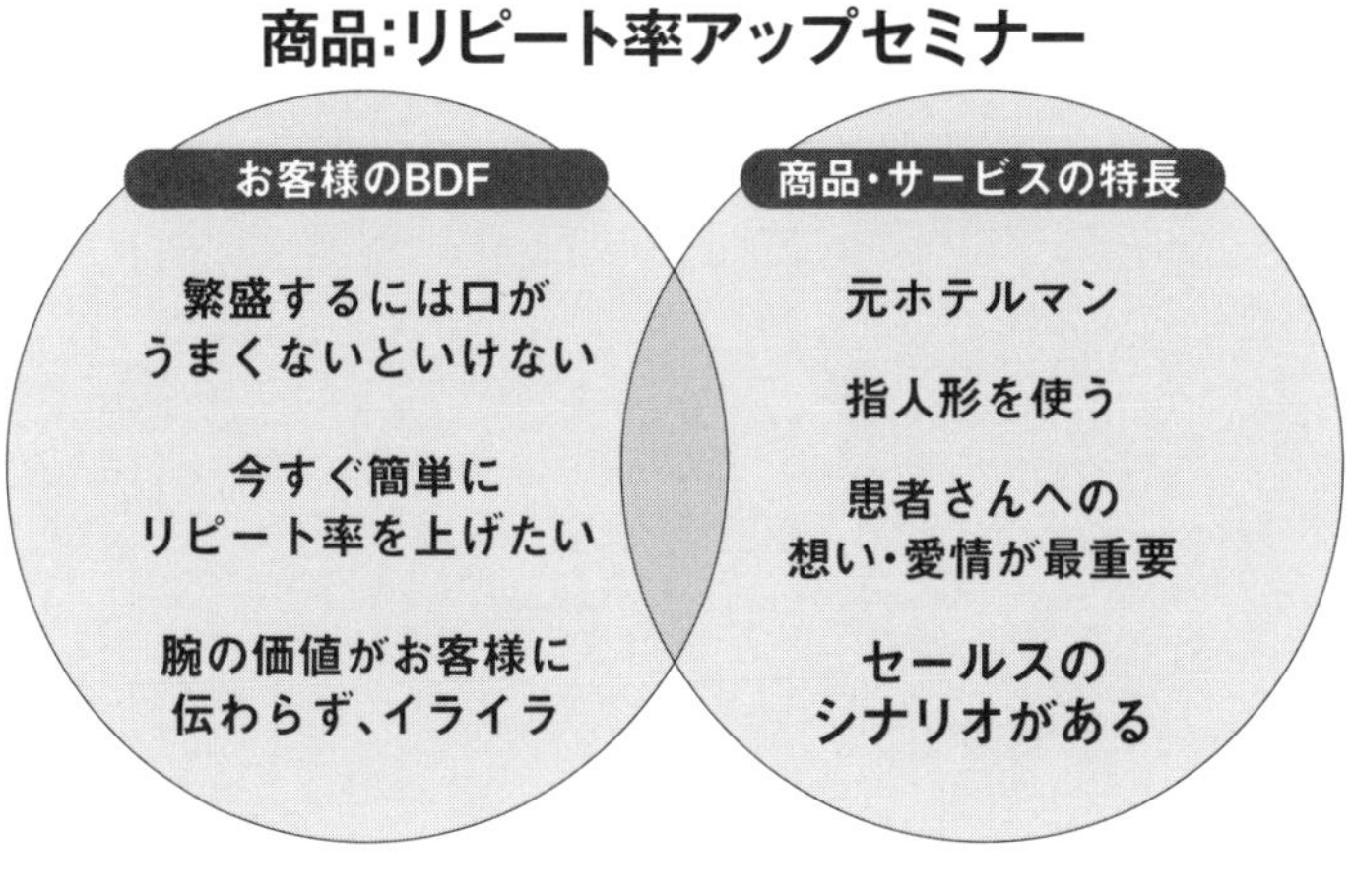
商品:リピート率アップセミナー
お客様のBDF
繁盛するには口がうまくないといけない
今すぐ簡単にリピート率を上げたい
腕の価値がお客様に伝わらず、イライラ
商品・サービスの特長
元ホテルマン
指人形を使う
患者さんへの想い・愛情が最重要
セールスのシナリオがある

「口下手でも大丈夫！　あなたも〝このシナリオを読むだけ〟でリピート率90％にできます！」

このようなキャッチコピーが出来上がります。これを集客媒体に用いることで、商品・サービスの価値を伝えきることができるのです。

これはセミナータイトルの例ですが、セールス、プレゼンテーションのトークすべてにおいて、有効だと断言します。

POINT

商品・サービスの価値を伝えきるには、次の3つのステップを実践しましょう。

①お客様のBDFを把握する
②商品・サービスの特長を漏れなく把握する
③お客様のBDFと重なる特長を〝だから何？〟の形で伝える

価値を伝え逃さない！あなたが常に自問自答すべき〝だから何？〟

先ほど登場した〝だから何〟は、なかなかすぐに使いこなせない方が多いです。その理由は、価値を深掘りする必要性に気がついていないからです。

なぜ深掘りしなければならないのかというと、売り手と買い手の知識に差があるからです。

買い手は、未知の商品・サービスの場合、どんなに商品・サービスの特長を説明されても、自分にとってわかる言葉で「どういいのか？」「なぜ買うべきなのか？」が理解できない限り、その場で買ってくれることはありません。高額ならなおさらです。

そのため、BDFと商品・サービスの特長を〝だから何？〟で深掘りし、お客様に伝わる、お客様がイメージできる言葉になるまで考え抜く必要があるのです。

わかりやすいところで、健康食品、栄養ドリンクで考えてみましょう※。

※便宜上、薬機法に則ってはいないので、絶対にそのまま広告などに使用しないでください。

「ビタミンC1000ミリグラム配合」

これでは商品の規格、中身、事実を伝えているだけです。ビタミンCの効果効能・得られる結果をご存じない方には価値が伝わりません。

価値を伝えるには、このように伝えます。

「ビタミンC1000ミリグラム配合〝だから〟免疫力アップ！　風邪をひきにくくなります！」

「免疫力アップ」「風邪をひきにくくなる」と伝えていますが、これはあくまでも一例です。本来は、商品・サービスの特長をしっかり把握したうえで、お客様のBDFに合わせて伝え方を変えます。具体的には〝だから〟の後を変えるのです。

▼「ビタミンC1000ミリグラム配合」の価値をどう伝えるか

●シミ、そばかすに悩む女性なら
⇩ビタミンC1000ミリグラム配合だから、すでにできてしまったシミがどんどん薄くなって消えてなくなる

●筋トレしたい方なら
⇩ビタミンC1000ミリグラム配合だから、たんぱく質の合成がサポートされて、筋肥大しやすくなる

こうすることで、お客様が「なぜこの商品を買うべきなのか?」「買えばどんな結果を手に入れることができるのか?」をイメージできるのです。

ちなみに、TVCMなど対象者を絞り

▼美容健康への意識が高い女性に向けて「ビタミンC1000ミリグラム」を訴求する例

肌トラブルが気になるあなたに！
しかも、感染症のニュースが
毎日流れるこの時期にもうれしい！

当番組が今、イチバンおすすめしたいこちらの商品。なぜおすすめするのかというと、1本たった〇〇〇円のとってもスッキリ美味しいレモンスカッシュの中に、あの酸っぱいビタミンCたっぷりのレモンがなんと！50個分も入っているんです！

毎日レモン50個食べられますか!?

毎日自分で絞ってレモンスカッシュを作れますか？

1日1本でレモン50個分を摂取できるうえに、
とっても美味しいんです！

込みづらい場合は、一番ニーズが高い（ここに訴求することで一番売上が上がる）であろう、美容健康への意識が高い女性に向けることが多いです。実演販売風にプレゼンテーションすると、図のような感じになることでしょう。

このように、セールスの最初から最後までお客様から「だから何？」「それが私にとってどういいの？」と1ミリも思われないようにすることが、100の価値を100で伝えるポイントになります。

事例 不登校専門カウンセラー

別の事例を見てみましょう。私のクライアントに不登校専門カウンセラーの新井てるかずさんがいらっしゃいます。新井さんは不登校問題解決のプロとして、学校など教育機関で登壇を依頼されることが多々あります。

この事実を新井さんのセミナーに来た不登校の子どもを持つ親御様に伝える場合、あなたはどのように伝えますか？

「新井先生は、不登校解決問題のプロとして、学校など教育機関から登壇を依頼されることが多々あります」

これでは、事実を伝えているだけです。私からすると、100の価値を100で伝えているとは言えません。

私ならこのように伝えます。

「学校など教育機関から登壇を依頼されることが多々あります」

↓だから何？

「新井先生は、不登校解決問題のプロとして、学校など教育機関から登壇をされることが多々あります。正に、先生の中の先生、プロ中のプロの新井先生ですので、今日は大船に乗ったつもりで、最後まで期待してご参加ください」

このように、事実に対して「だから何？」と突っ込むことで、単なる味気ない事実として伝わるのではなく、「その事実がお客様にとってどういいの?」として、伝わるのです。

これだけ見ると、100の価値を100で伝えるのは簡単そうな気がするかもしれません。しかし、私たちが教わってきた文章の書き方は、主語が私であり、自身の気持ちや事実を書くことしか勉強してきませんでした。ゆえに、気を抜くとお客様にとって「どんな得があるの?」「だから何?」を忘れ、価値が伝わらない事実だけを伝えてしまうことが多いのです。

セールス、プレゼンテーションは相手（お客様）ありき。だからこそ、相手に価値が伝わる伝え方を身につけることで、その場で買ってもらえるようになるのです。

POINT

自身のセールストーク1つ1つ、プレゼンテーション資料1枚1枚に対して、「だから何?」「お客様にとってどういいの?」と自問自答してみましょう。

そうするだけで、価値の伝え逃しが減り、成約率アップが近づきます。

お客様の価値観の物差しを意図的に誘導する

職域実演販売の会社を経営していた私の師匠のトークも紹介させてください。
師匠が、お土産屋さんの店主のセールストークをコンサルティングした時のことです。
店主がシルクがたっぷり入った高級軽石を店頭で売っていたのですが、こんなトークだったそうです。

「高級素材であるシルクがたーっぷり入った高級軽石です！　お値段はちょっと高いと思われるかもしれませんが、1000円です！　いかがですか？」

案の定、このトークでは軽石はさっぱり売れません。
そこで、師匠はこんなトークをしたのです。

「はい、ここにあるのは、あの高級素材、シルクがたーっぷり入った高級軽石です。みなさん、シルクといえば、シルクの歴史はご存じですか？
（ここでシルクの歴史を語る）
さて、当時は金と同じ価値があるシルクですが、金は今、1グラムいくらでしょうか？
○○○○円ぐらいですね！
そんな、金と同じ価値があったシルクがたーっぷりはいった高級軽石のお値段は1万円です！　驚きましたか？　じつは、たったの1000円です！」

このトークに切り替えてもらったところ、在庫過多で困っていた軽石が、すぐにその場で完売したそうです。

冷静に考えると、現代の金とシルクの価値は大きくかけ離れています。しかし、〝過去〟の金とシルクの価値を比較対象として用いたことで、お客様は現代の価値ではなく、過去の価値に引っ張られ、価格＜価値となり、購入に至ったのです。

この事例は賛否両論あると思いますが、参考にしてください。

コラム

セールスの一番の勉強はTVショッピングを観ること

お客様に価値を伝えるのがうまいのは、TVショッピングです。全部が全部ではありませんが、多くの番組、多くの商品は、最後の最後に1度目に公開した価格よりも安い価格を公開して終わりではありません。

「さらに、○○もプレゼント！ さらに、さらに！……」

という形で特典を畳みかけることで、少しでもお客様に得だと感じてもらう仕掛けを入れています。

このように、TVショッピングはその場で買ってもらう技術の宝庫です。セールス、プレゼンテーション、販売に携わる方は漏れなく、TVショッピングが苦手な方も食わず嫌いをせず、一度じっくり腰を据えて、トークを分析してほしいと心から思います。

なお、商品・サービスの価値を伝えきるべきシーンは、対面のセールスや1対複数のプレゼンテーションだけにとどまりません。私の趣味は美容健康なのですが、ある時、フェイスラインを引き締めるために、美容クリニックにたるみを引き上げる施術を受けにいきました。ホームページの説明を読む限り、顎下だけの施術だと思っていたら、なんと口まわり、エラのあたりまで施術に含まれていたのです。

このケースは、お客様にとってうれしいことではありますが、美容クリニックにとっては損失です。なぜなら、この値段でここまでの範囲がサービスに含まれていると知れば、お客様はもっとこの施術を希望するはずだからです。

このような事例を挙げればキリがありません。ほとんどの方が、価値を伝え逃しているから、その場で買ってもらえない、あるいは、大きく機会損失をしてしまうのです。

「3タイプ活用法」でBDFの抜け漏れを防いで3倍伝わる、売れる！

「こんな人には買ってもらえるけど、こんな人だとうまくいかない」

あなたにも、得意なタイプと苦手なタイプのお客様がいるのではないのでしょうか？

苦手なタイプだからといって、諦めたり、買ってもらえなければ、一流のセールスマンとはいえません。

でも、ご安心ください。人は大きく分けると次の3つのタイプに分けることができ、これを知れば、苦手なタイプにも買ってもらうことが可能です。より細かく分けることも可能ですが、セールスという面で考えると、この3タイプで分けられると知っておけば大丈夫です。

- **結果タイプ** → お買い得感（コストパフォーマンス）を重視

- **人柄タイプ**　↓　販売員、セールスマン、接客担当者などのホスピタリティ、温かさ、親しみを重視
- **直観タイプ**　↓　ブランド、日本一、最高級、皇室御用達、ハリウッドスターご用達、新商品などを重視

結果タイプ⇩人柄タイプ⇩直観タイプの順で、**多数派⇩少数派**になります。

ここからが重要です。たとえば、自身が結果タイプだとすると、目の前のお客様にお買い得であることを中心にセールスをしてしまいがちです。しかし、目の前のお客様が直感タイプであれば、あなたがよかれと思ってお買い得であることを伝えても心には響きません。直感タイプであれば、最高級であることや、ブランドであることに心が動くからです。

では、あなたはどうすればよいのでしょうか?

言うまでもなく、相手のタイプに合わせてトークをすることです。

BDFをふまえて「だから何?」の形を訴求するにあたって、抜け漏れがないようにするためにこの3タイプをチェックに用いるといいでしょう。

●相手のタイプの見抜き方

相手のタイプを見抜くために必要なのが、相手の生年月日になります。じつはこの方法は、算命学、陰陽五行論という学問をベースにしています。そのため、生年月日がわかれば、お客様のタイプがわかり、タイプに合わせた伝え方ができます。

生年月日を問診票やカルテで自然に教えてもらうことができる、病院、クリニック、整体院、美容室……などであればいいのですが、問題はお客様に生年月日を聞くのが難しい場合です。ここでは、目の前の相手の話し方や聞き方からタイプを見抜く方法をお伝えします。

話し方の特徴

- **結果タイプ** → 結論から話す、聞かれたことだけに答える、淡々と話す、端的に話す
- **人柄タイプ** → 背景説明から始まり、結論が最後に来る（話が長い）
- **直感タイプ** → 話が飛ぶ、抑揚がつく、擬音が多い、勢いがある

目の前の相手の聞き方からも、タイプを見抜くことができます。

聞き方の特徴

・**結果タイプ** → 動きが少ない、じっと聞く、腕組み、真顔、表情の変化がほとんどない

・**人柄タイプ** → うなずきや相槌が多い、笑顔が多い

・**直感タイプ** → オーバーリアクション、テンポが速い、話に割り込む

●タイプ別の響くポイント

タイプ別の響くポイントと、NGなポイントをご紹介しましょう。次のページの図をご覧ください。

結果タイプに響くポイント

結果タイプの人は、効率よく確実に、ミスや損、遠回りをせずに正しく行動したいと考えます。そのため、慎重に冷静に、データや数字を参考にして賢く買い物をします。衝動買いをす

◀タイプ別の響くポイント・NGなポイント

●直感タイプ

《響くポイント》
- 全体像
- 数字
- データ
- グラフ
- 比較表
- 客観的事実
- 再現性
- お得感
- コストパフォーマンス（費用対効果）

《NGなポイント》
- 曖昧
- 不明確
- 根拠ない説明

●人柄タイプ

《響くポイント》
- 作り手の想い
- 開発秘話
- 安心感
- 優しさ
- 温かさ
- 公共性
- お客様の声
- 他人の評価
- 安全性
- 公共性
- 大義名分
- アフターケア
- ヒーローズジャーニー

《NGなポイント》
- 不親切
- 説明不足
- 共感不足

●結果タイプ

《響くポイント》
- わかりやすさ
- ワクワク感
- 特別感
- 高級感
- 限定性（レア感）
- 日本一／世界一
- ブランド力
- インパクト
- 新しさ
- 即効性

《NGなポイント》
- 長い説明
- 丁寧な背景説明
- 細かなルール・共感不足

るケースは少なく、結果タイプのお客様の場合はひと筋縄ではいきません。事前に資料を作り込み、想定できる質問には、誠実に回答できるように備えましょう。

人柄タイプに響くポイント

人柄タイプの人は、同じ商品を買うのなら、愛想が良く、親切丁寧な接客をしてくれる人や店を選びます。人の想いや、温かさ、志、社会貢献性など、情にほだされやすいともいえます。皆で仲良くやることを大切にし、人の役に立ちたい、応援したいと考えます。時間が許せば話をよく聞き、そのうえで、あなたの想い、こだわりや志、心温まるプライベートの話をするといいでしょう。

直感タイプに響くポイント

直感タイプの人は、とにかく一番いいものを欲しがり、判断に時間をかけません。「自分がワクワクするかどうか」を重視しており、特別な人、すごい人でありたいと思っています。お世辞にも弱く、「これがあなたにとってベストな商品であり、特別なあなたにこそぴったりな商品です」と言われると、心が動いてしまいます。話が長いとイライラして買う気をなくすので、シンプルに結論から伝えましょう。

ちなみに、私は直感タイプです。つまり、あなたが私を攻略する場合は、ゆっくり丁寧に背景説明から入るのではなく、結論を簡潔に伝え、私を褒め称えれば、詳細も確認せず勢いで買ってしまう可能性が高いということです。実際に、販売員さんにココをうまく狙われて、ブランド品を山ほど買ってしまったこともあります。

この考え方は、モノを売る時だけではなく、クレーム対応や謝罪の際にも役立ちます。パターンに合わせた謝罪の仕方をすると効果的です。

・**結果タイプ**＝〝コスパ〟を重視
↓謝罪＋割引券、または謝罪＋お詫びの品などで気分をよくすることが多い

・**人柄タイプ**＝〝気持ち〟を重視
↓丁寧な謝罪（背景説明から、再発防止に至るまでを丁寧に心を込めて伝える）でファ

ンになってくれる可能性が高い

・直感タイプ＝〝特別感〟を重視

↓本社の社長、副社長など、地位が高い方からの謝罪が効果的

ただし、タイプの決めつけはＮＧです。また、１００％１つのタイプに偏っている人はいません。あくまでも、比率として３タイプに分かれるということです。相手のタイプを安易に決めつけず、観察しながら響く言葉やポイントを打ち出していくことをおすすめします。

●タイプ別トーク例

実際に整体院のリピート率を激増させた、３タイプ別のトーク内容をお伝えします。

結果タイプへの案内例

・全体の施術プランを伝える（何のために何回通う必要があるか）

・通うメリット、デメリットを比較して伝える
・「通った結果、具体的にどうなるのか」を伝える
・コストパフォーマンスを強調、キャンペーン割引などがあれば伝える
・数字、グラフ、施術のメカニズムなどを具体的に説明
・「通うことこそが最も効果的で効率がよく、賢い買い物である」ことを説明

これらを、淡々と静かに歯切れよく伝えます。
患者様からの質問にも、短く歯切れよく、結論だけを伝えます。

人柄タイプへの案内例

・似ている症状の人、自身の体験談を語る
・施術にかける想い、施術の開発秘話などを語る
・話を聴いてあげる
・「あなたの元気がみんなうれしい」
・「みなさんから選ばれています」

・「一緒に頑張りましょう」

これらを、丁寧に伝えます。
そして、患者様の話はうなずきながら、相槌を打ちながら聞きます。

直感タイプへの案内例

・（施術する側が）プロとして断言
「絶対にこれがいい」
・「○○様のような方に……」と特別感を感じさせる

直感タイプは細かい説明を聞かない傾向にあること、一番いいものを求める傾向にあることから、プロとしてビシッと「これがいい」と抑揚をつけて伝えることが効果的です。
さらに、各タイプに合わせたセールスポイントは次のとおりです。

・結果タイプに、文章や言葉だけで伝えている

↓表、図、グラフなど、視覚的に明確に伝える

・人柄タイプに、数字やデータを中心に伝えている

↓お客様の声や開発秘話、こだわりなど、人の想いや温かみを感じる内容を伝える

・直感タイプに、淡々と真顔で伝えている

↓大げさな言葉やオーバーリアクションで伝える

これらのセールスポイントを集客媒体（チラシ、ホームページ、メルマガ、LINEなど）に掲載すれば、お客様を集めやすくなり、今まで知らず知らずのうちにやってしまった機会損失を減らすことができるのです。

自分なりに文章を書くと、知らないうちに、自分に響く文章を書くケースが多いです。

行動させたいお客様のタイプに合わせ、伝え方を変えてみましょう。

POINT

文章や、1対複数の場合のプレゼンテーションの場合は、3タイプを漏れなく含めるようにしましょう。おすすめとしては、次の2ステップでまとめることです。

①まずは3タイプを意識せず、自分なりに書く

②編集の段階で、タイプ別に響く言葉やポイントを加筆する

第2章

好意と安心感をもってもらう

人は、どんな人から商品やサービスを買いたくなるのでしょうか？

それは、知らない人よりも、知っている人。知っている人よりも、好きな人です。

また、人は権威者や専門家の意見に盲従する特性があります。たとえば、「医者が認めた」「〇〇受賞」と書かれた商品を購入したことはないでしょうか？

あなたの商品・サービス、あるいはあなた自身を推薦してくれる専門家がいれば、お客様は安心して買ってくれます。

この章では、その場で買ってもらうために必要なお客様から好かれるポイントと、安心感をもたらす権威性の生み出し方をお伝えします。

あなたとお客様の関係性が深まる共通点を見つけよう

初対面の方と趣味や出身地などがかぶった場合、その瞬間に意気投合して、距離が一気に縮まった経験はありませんか。

人によっては、趣味や出身地など1つでも共通点があるだけで、深く考えずに商品・サービスを買ってくれることもあります。事実、ある伝説の営業マンは、お客様に「職業は何ですか」と質問したうえで、返ってきた答えに

「あぁ、トラックの運転手さんなんですね！　私の叔父もトラックの運転手なんです！」

と伝えるところから商談に入っていくそうです。

勘のいいあなたはもうお気づきかもしれませんが、伝説の営業マンの叔父さんはトラックの運転手ではありません。伝説の営業マンのやり方が倫理的に良いか悪いかはさておき、類似点、共通点、同じであることの力のすごさをよく知っていたので、嘘は方便、本音と建前。お客様の職業が何であろうが、自分の叔父と同じだと言うようにしているのです。

でも、正直者のあなたはこんなふうに思いませんでしたか？

「叔父さんがトラックの運転手をしているんです、なんて言ったら、『叔父さんは何に乗っているの？』『叔父さんはどこに勤めているの？』みたいな質問をされてしまうんじゃ……」

伝説の営業マンはこんな感じで返答していたそうです。

「叔父さんっていっても、身内の葬式ぐらいでしかあったことがないので、くわしくはわからないんです」

話が叔父さんの詳細にならなくても、叔父さんがトラックの運転手というだけで、お客様は伝説の営業マンに好意を持つので、この返答でまったく問題ないそうです。

もちろん、「あなたも伝説の営業マンのようにしましょう」とお伝えしたかったわけではありません。それほど、類似点・共通点はその場で買ってもらえるパワーになることをお伝えしたかった次第です。

セミナーであれば、開始前に個別に

▼あなたの構成要素をお客様に伝える

- 出身地は？
- 出身校は？
- 趣味は？
- 職歴は？
- 好きなアーティストは？
- 好きなスポーツは？
- 家族構成は？
- ペットは飼っていますか？
- 尊敬する人は？
- 座右の銘は？

話しかけることで、この方法を使うことができます。まずは、あなたを構成する要素を可能な限り、お客様に伝えましょう。お客様と同じ、または近い要素があれば、お客様は勝手にあなたに好意を覚え、商品・サービスは売れやすくなります。

好意を得るストーリーを自然に伝える

お客様から好意を得るためには、共通点以外にも、あなたの過去を抜き出して伝えることが効果的です。

ただし、伝え方にはコツがあります。そのコツとはズバリ、V字回復のストーリー（逆境を克服したストーリー）を作ること。有名なV字回復ストーリーに『ビリギャル（学年ビリのギャルが1年で偏差値を40上げて慶應大学に現役合格した話）』があります。学年ビリのギャルが1年努力することで、慶応大学に現役合格した話で、映画化されたこともあり、知っている方は多いのではないでしょうか。人はこのような逆境を克服したストーリーを好みます。

ただ、私の場合は、数々の経験から、単純に逆境を克服したストーリーを伝えて好意を得る以外にも、次の2つの工夫をしています。

①問いかけを入れる
②成約率アップに直結するキーワードを盛り込む

実際に、私が主催している「1対5以上でもその場で売れる！成約率50％保証！セミナー説明会型セールスマスター講座」の体験会&説明会でお伝えしているストーリーを見てみましょう。

事例　古山正太

私は、北海道札幌市に生まれました。

小学校低学年の頃は、背の順は一番前。

体重は一番軽い小さな子どもでした。

そのうえ、右眼のまぶたが先天性眼瞼下垂という障害を持っており、片方のまぶたが起きていても塞がっている、ゲゲゲの鬼太郎のような容姿をしていました。

これらのことから、自分に自信がなく、いじめっ子の標的になり、不登校になりました。

ある日、それを見かねた父が1冊の本をプレゼントしてくれました。

「正太よ、これを読んで強い人になりなさい」

その本は、世界偉人シリーズの『ヘレン・ケラー』でした。

ヘレンさんは小さいころに高熱を出し、熱が冷めたと思ったら、目が見えない、耳が聞こえない、口がきけないという、三重苦。

私のまぶたと比較にならない、重度の障害を背負ってしまいました。

そんなヘレンさんの元に、サリバン先生がやってきて、二人三脚で最終的には、世界偉人シリーズに名を連ねる人となりました。

私は小学校低学年ながらにして感銘を受け、「強い人になりたい」というのが、いわゆる人生のミッション、テーマのようになりました。

それからの私は、実際に体を鍛え、親にお願いをして水泳教室に通わせてもらい、学校にも通えるようになりました。

そこから話は大きく飛びますが、大学3年生になり、まわりが就職活動を始める中、私は就職するイメージが持てず、毎日「俺は何がしたいんだろう……」と自問自答をし続けながら、校内を歩いていました。

すると、あるモノが飛び込んできたのです！

それは、当時一番強い男と言われていた、ボブ・サップです。

もちろん、大学にボブ・サップがいたわけではなく、ボブ・サップの顔がアップで写ったポスターでした。

そのポスターは、当時起業ブームだったことから、経済産業省とある団体が提携をして「全国の学生起業家志望者100人募ります！」という企画の案内だったのです。

起業に関する思いをプレゼンテーションして勝ち上がれば、都道府県の代表になることができて、タダで経営の勉強ができる、有名企業の社長のかばん持ちができるという内容でした。

今、私がここでお話をさせていただいてるのは、このポスターのおかげなんです。
ボブ・サップを使ってくれていて、本当によかった。なぜだと思いますか？

工夫❶問いかけを入れる

そうです。私は強い人になりたかったからです。
当時、一番強い男がボブ・サップでしたから、目に飛び込んできたのですね。
これが、女優さんとかだったらおそらくスルーしていたので、ボブ・サップを起用した方には本当に感謝しています。

さて、このエピソードは、セールスにおいて1つ重要な教訓になっています。お客様に最初にかける一声、見せる資料、スライド、広告・宣伝のキャッチコピーなどで成果を出す方法です。

成果を出す方法、それは

「人は気になっているものを目で追うから、気になるものを見せよう、伝えよう」

ということなのです。

みなさんは、見込み客が気になっているものを把握していますか？
見込み客が思わず注目してしまう、足を止めてしまうものを把握していますか？
そして、それを言語化できているでしょうか？

できているか、できていないかでは、その場で買われるかどうかに大きく差がつきます。

〜中略しますが、ポスターの企画にエントリーをして、プレゼンテーションで勝つために大学3年生ながらにして、セールスとプレゼンテーションの研究と実践を始め、ひどい目に遭いながらも北海道代表になった話をしています〜

企画も終わり、札幌に帰ってきたのはいいのですが、やはりやりたいことがわからず、なんとそのまま大学を卒業してしまいました。
「困ったな、本当に何がしたいんだ俺は」と悩んでいる中、先ほどの団体には営業の先生、マーケティングの先生……などがいらっしゃるのですが、中でも営業の先生が私を可愛がってくださり、ある日「北海道に講演会に行くから、よかったら遊びにおいで」と誘っていただけました。

講演会の帰りに、先生が「最近どうなの？」と聞いてくれて、私は「いまだにやりたいことがわからず悶々とする日々です」と伝えると「じゃあ、ウチに丁稚奉公に来るか？」と冗談で言ってくれました。

私は、「はい！ よろしくお願いします！」と即答しました。その理由は冗談でも憧れの先生に誘っていただけたこと、地元にいてもくすぶり続けそうだったこと、そして何よりも営業の先生の職業である究極難易度の「職域実演販売」に興味を持っており、挑戦すれば強い人になれると思ったからです。

さっそく、片道切符と5万円だけ握りしめ、住む家も決めず、東京は赤坂にある先生のオフィスに丁稚奉公に行きました。

私が挑戦した職域実演販売は、こんな仕事です。

朝礼があり、多くの職員が働いている企業がターゲットになります。

該当するのはおもに、国内の生命保険会社です。

生命保険会社の無数にある営業所というところに飛び込み営業をして、「朝礼の後15分間だけプレゼンテーションをするお時間をください！」と言うところから始まります。

今考えると、怪しいですし、無謀すぎるチャレンジでしたが、保険会社の営業所長も営業マンということで、情もあったのでしょう。

まれに、「お兄ちゃん、よくわからないけど、15分だけならいいよ」と言っていただけます。

そうなったら、プレゼンの約束を取り付けた日の朝礼に混ぜてもらいます。

職域実演販売はプレゼンさせてもらうことから始まるだけに、すでに高難易度であることはおわかりだと思いますが、それだけではありません。

・「もう一度プレゼンさせてください！」は通用しないワンチャンス
・招かれざる客であるだけに、空気感はアウェー、仕事の邪魔になるので、中には怒っている人もいます
・制限時間は15分
・そして、その場で生保レディの皆様に向けて販売する商品は……

（と言って、当時実演販売していた美容・健康商品の画像を見せる）

「〇〇さん、まるで70年代に作られたかのような、デザイン性が著しく低いこの商品…

…何円ぐらいだと思いますか？」

（と、質問すると、だいたい「2～3万円ぐらいではないか？」という答えが返ってきます）


じつはこの商品、驚愕の26万円なんです！

生保レディが20人いたら、その場で買ってくれる人はゼロ。あるいは、温情でイチ。

でも、先生は20人いたら15人ぐらいに売ります。

その昔、在籍していた私と同じぐらいの年齢のヤンキー上がりの兄ちゃんは5～10人ぐらいに売ります。

さて問題です。

これこそが、セールスを成功させる極意です。

なぜ、私は売れず、ヤンキー上がりのお兄ちゃんは売ることができたのでしょうか？

工夫❶問いかけを入れる

～中略しますが、ここでは営業の極意の発表と、私の苦労話、そして、人から指導を受ける際に絶対にやってはいけないことをお伝えしています。特に、絶対にやってはいけないことは、私の講座参加への後押しとなる伏線の役割も果たします～

この経験で私が体感したことは、１００の価値を１００で伝え切ること。

そして、守破離の守。自己流は事故流であるということです。

工夫❷キーワードを盛り込む

～中略しますが、職域実演販売の丁稚奉公を経て起業するものの、メンバーと折り合いが合わず、セールスコンサルタント兼セールスコピーライターとして独立し、荒波を乗り越えながら現在に至るまでを伝えています～

いかがでしたか？

「ボブ・サップを使ってくれていて、本当によかった。なぜだと思いますか？」

「なぜ、私は売れず、ヤンキー上がりのお兄ちゃんは売ることができたのでしょうか？」

の部分が、工夫の1つめ、問いかけです。1人語りが長く、飽きられがちなストーリーですが、このように質問をして、考えさせて集中力の維持を図ります。

「自己流は事故流であるということです。」のところが、工夫の2つめ、キーワードを入れるということです。直接的に「自己流は危険です。失敗の元です！」と伝えると、「売るために言っているな……」と感じられてしまう可能性が高いです。しかし、私の実体験を通じた気づきという形で伝えると、お客様は反発することなく、自然に受け入れやすくなるのです。

巷では、3Bの法則（ビースト、ベイビー、ビューティー）＝可愛いものに人は好意を覚えるから、あなたの赤ん坊のころの写真、幼少の頃の写真をプレゼン資料に入れましょうというアドバイスもあるようですが、それは安易すぎます。原則として、お客様は自己利益で動きます。そこを押さえたうえで、好意が威力を発揮するのです。

自身のV字回復のストーリーの伝え方次第でも、成約率アップにつなげることができます。ゆえに、好意を得るストーリーを開示するのはもちろん、間延びさせないために、見込み客にとって得になる学びや気づき、キーワードも交えて、伝えていきましょう。

なお、ストーリーを伝えるタイミングは、1対1のセールスであれば話に入る前の雑談または前半がおすすめです。しかし、1対1の際は、自分の自己紹介に時間をあてることは難しいことも多いと思います。その場合は、どうしても伝えたいキーワードの周辺に絞って伝えることをおすすめします。先ほどのケースだと、私の逆境を克服したストーリーの中で伝えたいことは「自己流は事故流・我流は危険」でした。そのため、次のようにキーワードに直結するところに絞って伝えるといいでしょう。

①私は職域実演販売をしていまして、職域実演はこんな仕事でした。
②師匠はこのぐらい売る、ヤンキー上がりのお兄ちゃんもこのぐらい売る、でも私は……
③じつは、こんなことが原因でした。そこで得た教訓はこういうことだったんです。

もし、セミナーのような1対複数でセールスをおこなう場合は、中盤・後半に自身のストーリーを伝えるのがおすすめです。なぜなら、1対複数の場合は、まず見込み客の興味・関心ごとからスタートしなければ、当事者意識がどんどん薄れ、最後まで真剣に話を聴いてくれない可能性が高まるからです。途中退室しやすいオンラインなどでは特にリスクが高まります。1対1の場合は、多少話が本筋からズレても、相手が聞きたい話ではなかったとしても、常識的にはあなたの話に付き合ってくれるものですが、同じように考えてはいけません。

以上、好意を得るためのストーリーと、2つの工夫をお伝えしました。すぐに実践できるので、1つずつ実践してみてくださいね。

好感度を一瞬で0にしてしまわないように避けるべきこととは

補足として、好感度を一瞬にして0にしてしまうことを、事例をもとにお伝えしていきます。

事例 起業支援コンサルタント

ある起業支援コンサルタントの方がいました。その方は飛ぶ鳥を落とす勢いで事業を拡大し、わずか1年程度で、業界では知らない人はいないぐらいの有名人となりました。弁は立ち、カリスマ性もあり、順風満帆でしたが、事件が起きました。それは、起業を目指す人たちが大勢集まるセミナーの場でのことでした。

ある参加者の方が、起業に関する質問をしたのですが、質問の内容のレベルは高いといえないものでした。起業支援コンサルタントの方は、聡明なうえにものすごい努力家だったこともあるのでしょう。瞬間的に、こんな発言をしたのです。

「そんなことぐらい、自分で考えなさい！　頭を使わないと、起業なんてできるわけないですよ！」

こんな感じで、大勢の前で質問者を叱責してしまったのです。

結果、会場の空気は悪くなり、叱責された方はもちろん、質問者を哀れに思い、共感した人たちを起業支援コンサルタントは敵に回しました。当然、その日を最後に自身の起業塾への申し込みは振るいませんでした。

話はこれで終わりません。ネットでこの出来事が拡散され、匿名掲示板でも話題になり、経営が一気に失速してしまったのです。

　この事実から学べることは、「お客様に恥をかかせてはいけない」ということです。好意を得るどころか、敵になってしまうからです。

　ちなみに、患者に訴えられる医師の共通点は、「処方をまちがわれた」「手術に失敗された」という理由よりも、圧倒的に「医師がまったく自分の話を聴いてくれなかった」など、いわゆる患者想いでない態度によるものだそうです。それだけ人は、承認されたいことはもちろん、自分のことを軽んじられる、否定される、恥をかかされることに強い怒りを持つということでしょう。

　話を戻します。セールスを長く続けていると、的外れな質問や意見を言われ、ムッとしたり、呆れてしまうこともあるかもしれません。しかし、そんな時はこの事実を思い出してください。

　そして、まずは「それはいい質問ですね」という形で、相手が質問、意見を述べてくれたことを承認しましょう。

　そこから、相手の意見、質問を復唱しましょう。質問、意見の内容が漠然としているなど、返答に困る場合は、

「もう少し具体的にお願いできますか？」

「ご質問の内容は、○○ということでよろしいでしょうか？」

など相手の質問や意見を具体化することで、返答しやすくなることが多いです。ぜひ試してみてください。

また、その場で回答するのがセールスに悪影響を及ぼす場合は、次のように回答すると、質問・意見をした方の顔を潰さずに済むのでおすすめです。

「いい質問ありがとうございます。いただいたご質問・ご意見は最後にまとめてお答えいたします」

最後に質疑応答タイムを取る予定なら、セールスの冒頭で
「質疑応答は最後におこないます」

などと伝えておくとスマートです。

POINT

お客様から好意を得ることで成約率はかんたんに高まります。2つの方法を1つずつ実践していきましょう。
①あなたとお客様の関係性がグッと縮まる共通点を見つけ出す
②好意を得るストーリーを自然に伝える
また、好感度を0にしないために、お客様に恥をかかせるような行為は慎みましょう。

実績・権威を示して安心感を与える

子どもの頃、学校の先生の言うことは反発することなく素直に聞いたのではないでしょうか。大人になった今でも、お巡りさんに話しかけられたら自然と耳を傾けると思います し、「医者推薦」や「○○大学が認めた」などの文言があれば安心して商品・サービスを購入する方もいらっしゃると思います。

人は、権威者や専門家に盲従する特性があります。購入してもらうには売っている商品・サービスの質もとても重要なのですが、

「その商品をだれがおすすめしているか？」

が外せない要素なのです。

あなた自身が商品であるのであれば

「あなたをだれがおすすめしているのか？」が重要です。

お客様が安心して購入する権威性を作るには、大きく4つの要素があります。

①第三者機関からの表彰、ランキング入賞

お菓子において、○○賞受賞などの表記を見たことはありませんか？

自社開催のランキングや表彰ではなく、第三者が審査して認めたというのは、購入の1つの決め手になります。なぜなら、お客様はすべての商品を試すことはできないからです。あなたが扱っている商品・サービスで第三者からの表彰を受けたり、ランキングに入賞できそうなものがあれば、ぜひ活用しましょう。

▼権威性を作る4つの要素

①第三者機関からの表彰、ランキング入賞
②メディア掲載実績
③「○○人に選ばれた」
④専門家・著名人の推薦

なお、1位、2位、3位であれば堂々と謡うことをおすすめしますが、8位、9位、10位など微妙なランキングの場合は、

「堂々TOP10ランクイン！」

などと掲載するのも1つのテクニックになります。

②メディア掲載実績

TVやラジオ番組、雑誌などのメディアに掲載されれば認知度を上げることができますが、副次的な効果として「掲載されたことで権威性を上げる」ことが可能です。

「○○というTV番組で取り上げられた！」
「○○でランキング1位」

こんな形で、コンビニなどでポップを見たことがあるのではないでしょうか？　それは、

このようなポップを付けると購入する人が増えるとわかっているからです。

そのため、メディアからの取材があった場合は、積極的に参加しましょう。また、取材を受けるためにプレスリリースを出すなど、積極的に行動しましょう。

③「○○人に選ばれた」

実績・権威性として出しやすいのが「○○人に選ばれた」という実績をアピールする方法です。セミナーなどを運営されている方であれば受講生の人数、物販をされている方であれば購入者数などでアピールをします。

人数の目安ですが、これは商品・サービスによって大きく異なります。たとえば、「1万人に選ばれた」というのは一見すごそうに思えますが、競合他社が「100万に選ばれている」と書いているのであれば、権威性になりえません。そのため、必ず競合他社がどのくらいの数値を使っているのかを調査してから用いるようにしましょう。

④専門家・著名人の推薦

あなたが扱っている商品・サービスに近しい専門家、著名人から推薦をもらえるのであれば、必ずもらいましょう。

たとえば、サプリメントを販売している会社のホームページなどで「医師推薦」といった表記を見たことはありませんか？　それは、医師が推薦することによって「きっと健康に良いに違いない」と思うからです。

塾や予備校であれば「あの◯◯先生が認めた」などと有名な先生の名前が書いてあれば、信頼度はググっと増すでしょう。

もし、あなたの商品・サービスの品質を裏づけられる方から推薦をもらえるのであれば、必ずもらうようにしてください。

私のクライアントの話をすると、インパクトのあるＴＶＣＭでも有名な年商２００億円規模の会社に法人営業研修を提供している方がいました。にもかかわらず、法人研修の提案をする資料の最後の最後に「取引先一覧」というページがあり、目立たない形で年商２００億円規模の会社のロゴが書かれている程度でした。

そこで私は、次の２つをアドバイスしました。

①サービス提供先企業一覧を提案資料の冒頭に持ってくる

②有名企業のロゴは特に大きく目立たせる

その後、新しい提案資料で見込み客にプレゼンをしたところ、「えっ!? R社にも入ってるんですか? すごいですね!」と、見込み客をすぐに前のめりにさせることができるようになったのです。

ちなみに、アメリカのシリコンバレーで後発参入するベンチャー企業の中には、何年もかけてグーグル社に提案し、無事仕事を獲得できた後は「ウチはグーグルにサービス提供をしています」といった口説き文句を武器に、グーグルの権威性を活用して一気に契約を獲得するベンチャー企業もあるそうです。

あなたの商品・サービスを権威づけられる第三者の権威はありませんか?

あるいは、権威を高めることはできませんか?

ぜひ、権威性が高まる工夫をして、その場で買ってもらえるようにしてください。

POINT

あなたは商品やサービスの権威性が高まる第三者の権威を使うことができていますか？
本章の内容をヒントに、アイデアを出して実践してみましょう。

コラム

薄着より厚着がおすすめの理由
～あなた自身に権威性をまとわせる衣装の選び方

「人は見た目が9割」とよく聞きます。その言葉からも第一印象が大事なことはまちがいありません。

第一印象をよくする方法として、清潔感と笑顔はもちろんだとして、「服装はできるだけ厚着をする」ことをおすすめしています。理由は、権威性を作るため。人は、薄着をしている人よりも厚着をしている人を、無意識的に目上であると考えるからです。

イメージするとわかりやすいのですが、過去の歴史から考えてみると、王様や貴族は常に厚着なうえに、袖や裾が長い服を着ています。一方、平民や奴隷は、半袖、半ズボン、裸足またはサンダルのような服装です。

現代においても、弁護士、経営者、一流の生保マンなどは、ジャケット、ワイシャツ、ネクタイではなく、真夏でもベストを着込んでいます。これは彼らの業界の慣例になっていることもありますが、薄着よりも厚着をしているほうが専門家であるように見られ、自身の権威性を高めることができ、お客様がより説得されやすくなることを知っているからです。だから、真夏でも厚着をして、セールス、プレゼンテーションに臨むのです。

服装で説得力を上げるには、ほかにも医者なら白衣、警察官や自衛官なら制服を着ることです。私たちは、子どものころから、医者、警察の言うことは聞くようにと指導されてきました。結果、白衣や制服を着ている人の言うことには盲従してしまうことが多いのです。

事実、私のコンサルティング先の整体師に「ジャージで施術をするのではなく、白衣を着て施術してください」と伝えた結果、今まではリピート率が5割を切っていたのですが、白衣に変えただけで、7割で安定するようになりました。これは、整体師が医者ではないことは知っていますが、白衣を着ることで、無意識的に医者に近しい人と認識したためです。

この実話をヒントにしてみてください。

第3章

必要性を感じてもらう

お客様に商品・サービスに興味を持ってもらい、好意や安心感を持っていただいたあとに、あなたが意識しなければいけないことがあります。それはズバリ、必要性です

なぜ、必要性が重要なのか。それは、人は必要性を感じてはじめて、商品・サービスの購入を検討するからです。

歯科医院で例を挙げましょう。虫歯で痛い思いをしたくないのであれば、予防で歯科医院に行くのが効果的です。しかし、多くの人は虫歯になってから歯科医院を探します。それは、自分にとって予防というものに必要性を感じないからです。しかし、虫歯になると、痛みを回避したいので歯科医院を必死に探し、受診します。このように、人は必要性を感じたときに行動を起こすのです。

本章では、あなたの商品・サービスを購入してもらうための必要性の与え方を解説していきます。

「いきなり売り込まれた」と思われないための説明

「今、何のために、何の話を聴かされているのだろうか?」

お客様にそう思われてしまうと、あなたの話を集中して聴いてもらうことができません。そこで、いつ提案やセールスをおこなうかを明確に伝えておくことも重要です。その理由は、よく言われる言葉ですが「先に言えば説明、後で言えば言い訳」だからです。事前に「提案を聞いてください」と伝え、お客様から「はい」と言っていただければ、あなたは堂々と自信を持って提案をすることができます。

お客様も、提案を受ける前提で説明を聞いてくれるので、だまし討ちのような形よりもはるかにストレスがありません。

では、具体的にどのように説明していけばいいのでしょうか。2つのステップがあります。

①全体像を伝える

おすすめしたいのは、提案書やスライドの途中に、本の目次のように全体像を出すことです。そうすることで、お客様は、今、何のためにどの話をされているのか理解しやすくなります。

たとえば、私が過去開催していた「繁盛マーケティング講座」では、最初に図のようなセミナーの全体像とそれにかかる時間、目的を示しています。こうすることで、お客様は何時ごろに何がおこなわれるのかを把握でき、聞くべき理由も明確化されるので、イライラすることなくセミナーを受けてもらえます。

プレセミナー＆説明会の流れ

前半：東京３期プレセミナー（最終期）
休憩：５分前後
後半①：東京3期説明会（最終期）
後半②：個別相談

プレセミナー＆説明会の流れ

前半：東京3期プレセミナー（最終期）
（1時間30分前後を予定）
休憩：５分前後
後半①：東京3期説明会（最終期）
後半②：個別相談（2時間前後を予定）

今日の目的

前半のプレセミナーでは
ワークなどを通じてセールスコピー、マーケティングが一生モノの価値であることを体感していただきます

今日の目的は

後半①の説明会では
「本講座の具体的な内容」についてお話しさせていただきます

今日の目的は

後半②の個別相談では
本講座が、本当にあなたのお役にたてるのか？
その他について、私あるいは卒業生がご相談を受け付けます

◀セミナーの全体像、所要時間、目的を伝える

②提案することを早い段階で理由と共に説明する

具体的に、私がコンサルティングをしている整体院を事例にお話していきます。

事例　A整体院

もともとは「初診のお客様に対して、腰痛解消コースを提案しているが、まったく売れない」と相談にいらっしゃいました。実際にトークの流れを聞いてみると、次のような内容でした。

「本日は当院の施術体験をご希望いただきましてありがとうございます」

「さっそく、施術を受けていただきます」

←（施術）

←（会計時）

「いかがでしたか？　今日は施術体験でして、本格的なコースがあります。よろしければ、そちらをご検討ください」

帰り際のお会計後に腰痛解消コースを提案することで、お客様が驚いてしまい、そのうえ帰りやすい状況であることから、「とりあえず検討します」などと言われて、腰痛解消コースの申し込みが入らないのです。

そこで、施術に入る前のトークを次のように変更してもらったところ、この整体院の腰痛解消コースの申込率は3倍以上になりました。

「本日は当院の施術体験をご希望いただきましてありがとうございます」
「当院は根本解決を目指しております」
「今日、1回の施術で○○さまの数十年来お悩みが100%解消すると言いたいところですが、1回で改善できるのは30%ぐらいだと思ってください」
「また、人間は元に戻る習性があるので、30%改善しても、また普段と同じ生活をしてしまうと、元に戻ってしまいます」
「そこで、今日体感していただき、『続けてみたい』『本当に解決させたい』とお思いでしたら、ぜひ次回のご予約を体験中か体験後にお申しつけください」
「本日は、この後、施術に入っていきます」
「施術後に、○○さまにピッタリなコースのご案内をさせていただいてもよろしいでしょうか？」
「所要時間はおおよそ、○○分ぐらいになります。よろしくお願いいたします」

いかがでしょうか？

全体像と、提案すると伝えることで、お客様は施術中にコースを購入するかをじっくり考えることができ、その場で買ってもらうことができるのです。

また、全体像を伝える前に、「なぜ、お客様が私の提案を受けるべきなのか？」の理由を説明しています。

・施術の目的は根本解決である
・1回の施術では根本解決までには至らない
・そのために複数回来てほしい

何も説明がなければ、お客様は「お試し施術を1回受けるだけで症状が改善される」と思い込み、次に来院すべき理由を知らないまま帰ってしまいます。だからこそ、「あくまでもお試し施術であり、本当に問題を解決したいのであれば腰痛解消コースを購入する必要がある」と伝えてあげることが重要なのです。

施術に入る前に提案を受けるべき理由を説明したのには、ほかにもわけがあります。

この説明を、施術後やお会計時にされたらどうでしょうか？

お客様のためではなく、あなたが施術を売りたいがための言い訳に聞こえるのではないでしょうか？

そのため、お客様は「このあと時間があるので……」「とりあえず検討します」と何かしら理由を作り、提案を受ける時間をまともに作ってもらえない可能性が高くなります。

また、価値を理解できていない見込み客に高額だと感じる金額を提示すると、反射的に断られるケースも多くあります。それらを防ぐため、最初に「施術後に提案のお時間をください」と伝えます。了承を得ているから、提案を聴いてもらえるのです。

これこそまさに、「先に言えば説明、後で言えば言い訳」です。

事例　デザイナーの女性

別の事例を見てみましょう。あるフリーランスの女性は、パワーポイントやキーノートのプレゼンテーション資料がよりエレガントになり、より価値が伝わるデザイン・編集をする仕事をしていました。スライド枚数200枚前後で5万円ぐらい、デザイン、アニメーション、画像挿入、文字サイズの統一などに対応するというものです。しかし、お客様から値切られてしまうことに悩んでいました。

そこで私は、次のことを聞いてみました。

「資料のデザイン・編集というのは、どのぐらいの時間がかかるのか？」
「より価値が伝わるようにするには、どのぐらいの技術が必要なのか？」

すると、めちゃくちゃな資料を整えることは私が想像していた以上に時間も手間もかかり、技術が必要であることを知り、「そりゃあ、5万円でも安いよね」と思ってしまうほどでした。
そのうえで、今現在、見込み客にどんな形でサービスの提案をしているのかたずねたところ、

「スライドの枚数次第で料金が変わる」

としか伝えていないということでした。
そこで私は、次の準備をおこない、見込み客に伝えてみるように言いました。

・資料のデザイン・編集にかかる時間、手間、技術を文章化、言語化する
・素晴らしいスライドでプレゼンをした結果、以前と比べどのような変化があったのかがわかるアンケートとお客様の声を既存客からいただく
・自分がデザイン力を身に着けるまでにどんな努力をしたのか（デザインの勉強に投資をしているのなら、投資額はいくらか）を明確にする
・フリーランスのマッチングサイトなどで同様のサービスを提供している同業者の特長

を調べて、彼らと比べた優位性を文章化、言語化する

そして、見込み客にはプレゼンテーションの中で、あるいはいきなり価格を聞かれたら、次のように伝えることを徹底してもらいました。

「普通はこのようにデザインや編集をするデザイナーが多いのですが、私の場合は○○ということにこだわっています。だから（なので）○○という結果が出るとお客様から喜ばれておりますので、このような料金体系となっております」

結果、値切られることがなくなったばかりか、「もうちょっとお支払いしましょうか？」と言ってくれるお客様が増えたのです。

事例　古山正太

私自身は、こんなことがありました。事務所の引っ越しで、引っ越し業者様から見積もりをメールでもらった時のことです。メールの内容は「見積もり添付します」という非常に簡素な内容でした。

知人の紹介ということもあり「安くしてもらえるんだろうな」と思いつつ、見積もりが記載された添付ファイルを開いたところ、イメージしていた金額よりも高かったのです。

業者様に対して、「思ったより高かったのですが、安くなりませんか?」と返信することもできましたが、知人の紹介ということに加え、私は職業柄セールス、プレゼンテーション、提案をするのがうまくない方を救いたい気持ちもあり、次のようにたずねました。


「この見積もりの根拠を教えていただけますと幸いです」

「○○さんのご紹介ということで、お安くしていただいていると思うのですが、通常よりもどのぐらいお安くしてくれたのか教えていただけますと幸いです」


見積もりの根拠を聞かせてもらったところ、金額に納得できたうえに、じつは通常よりも大幅に割引をしてくれていたことを知り、気持ちよく見積もりの金額+ちょっとしたお礼の気持ちでお支払いをさせてもらいました。同時に、どんな商品・サービスを販売する企業や起業家であれ、事前に価値を伝えられないのは悲劇でしかないと実感した次第です。

「事前に価値を伝える」

これをきちんと実践している企業、起業家、セールスマン、プレゼンテーター、販売員は多くありません。その場で買ってもらえる可能性が大きく高まるばかりか、商品・サービスの単価を上げる自信が付くことも多く、実際に値上げをしたのに今まで以上に売れる方も数多くいらっしゃいます。それぐらい、価値を先に伝えること、先に説明をすることは、業種・業態を問わず、流行り廃りにも左右されない、普遍の技術なのです。

POINT

事前にお客様が提案を聴くべき理由、提案する目的、提案する箇所、全体像、所要時間を伝え、提案を聴いてもらう約束を取り付けたうえで、堂々と自信を持って提案しましょう。「先に説明する」「先に価値を伝える」を徹底しましょう。

お客様にしていただく自己紹介に「売れる仕掛け」を入れる

あなたの商品・サービスに必要性を感じてもらうのに有効なのは、お客様自身に自己紹介をしていただくこと。そして、自己紹介で答えていただいた内容を活かしたトーク、あるいはワークを作ることです。

セミナーで販売している方であれば、お客様に自己紹介していただく時間を取り入れているケースは多いのではないでしょうか。お客様自身に声を出して発言してもらうことで、能動的に参加してくれるようになり、お客様の現状や悩みを把握することもできます。

そんな中、安易に次の3つだけを聞いている人が多いように思います。

①お名前
②職業
③参加動機

お客様自身に発言していただくのであれば、これだけではもったいなさすぎると言わざるをえません。多くの方が驚かれますが、古山流では、お客様の自己紹介の中にも、その場で買ってもらうための仕掛けを入れるのです。

事例　不登校専門カウンセラー

私がサポートしている日本初の不登校専門カウンセラーの新井先生を例にお話をします。新井先生は、お子様が不登校でお悩みの親御さま向けにお子様が自発的に再登校を実現できるようになるサービスを提供されています。不登校のお子様を持つ親御様から1600件以上相談を受けてきており、100％自発的な再登校を実現しているすごい方です。にも関わらず、サービスの提供を始めたばかりのころは、購入にまで至らないことが多くありました。

購入に至らない理由は、参加者に当事者意識を持たせることができなかったこと。なぜ、当事者意識を持たせる必要があるのかというと、ズバリ、参加者のお母様、お父様の性格・気質のためです。お子様がかなり切羽詰まった状況にもかかわらず、

「なんだかんだ言って、ウチの子は時間が経てばよくなるのではないか」

「ウチはほかの参加者よりもまだまだマシな状態だから、今日は様子を見させてもらおう」


といった傍観者のような、問題を先送りにするような方が多いのです。

そのような方々に、いくらセミナー主催者がいい話をしても、真剣に自分事として捉えてくれず、「いい話を聞かせてもらってありがとうございました」となってしまうケースが多いのです。セミナーを主催するからには、参加者の方が全員申し込んでくださることを目標とすべきですから、当事者意識を持たせることは必須です。

サービスの販売は、一度に5〜30人ほどの親御様に向けて、セミナー、説明会、プレゼンテーション形式でおこなわれます。もともとは、司会進行役の方から、参加者の親御さまお1人お1人を指名し、自己紹介をしていただくことで場を温めてからセミナーがスタートするやり方でした。この方法は一般的なものであり、何ら悪い点はなさそうな気がします。しかし、私は「ここにこそ、その場で買ってもらう確率を激増させるポイントがある」と思いました。

リアルセミナーの場合は、司会進行役の方から「セミナー開始時間になりましたら、自ら率先して、参加者の皆様に向かって自己紹介をしてください」と伝えてもらっています。

Ｚｏｏｍなどオンラインセミナーの場合は、司会進行役の方から「セミナー開始時間になりましたら、自ら率先してマイクのミュートを解除して、率先して自己紹介をしてください」と伝えてもらうようにします。

すると、どうなるでしょう？

不登校のお子様をお持ちの親御さまの多くは、総じて自ら進んで前に出るタイプではありません。ほとんどのケースでは、30秒経っても沈黙が続きます。

▼自己紹介を促すスライド

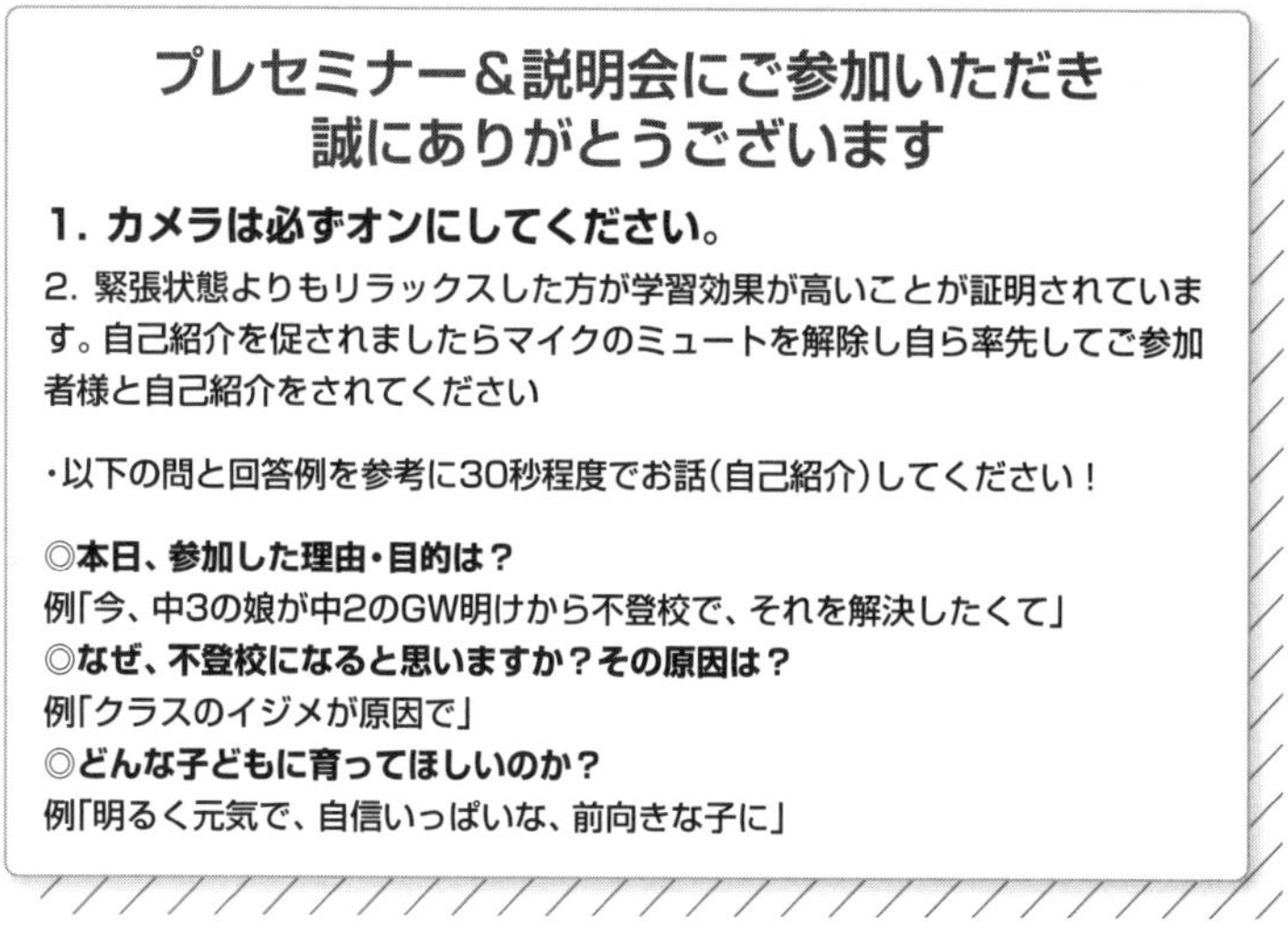
プレセミナー＆説明会にご参加いただき
誠にありがとうございます
1. カメラは必ずオンにしてください。
2. 緊張状態よりもリラックスした方が学習効果が高いことが証明されています。自己紹介を促されましたらマイクのミュートを解除し自ら率先してご参加者様と自己紹介をされてください
・以下の問と回答例を参考に30秒程度でお話(自己紹介)してください！
◎本日、参加した理由・目的は？
例「今、中3の娘が中2のGW明けから不登校で、それを解決したくて」
◎なぜ、不登校になると思いますか？その原因は？
例「クラスのイジメが原因で」
◎どんな子どもに育ってほしいのか？
例「明るく元気で、自信いっぱいな、前向きな子に」

そこで、司会進行役の方にこんな話をしてもらいます。

「いきなり見ず知らずの人たちの前で進んで自己紹介をしてくださいと言われても、率先して自己紹介をするのは難しいですよね？」

「では、いったん次のスライドをご覧ください」

そして、スライドには「本日皆様が当セミナーに参加した目的」が書かれているのです。

・明るい、元気な子に育ってほしい
・自信いっぱいの子に育ってほしい
・失敗を恐れずチャレンジする人になってほしい
・自立した大人になってほしい

当然、このスライドの内容は、参加者全員が同意してくださいます。

そのうえで、次のスライドからが必要性を生み出す仕掛けとなります。次のスライドには大きく、「子は親の鏡」と書いてあります。

・親御さまご自身は、いかがでしょうか？
・お子さまは親御さまの姿勢を見ています
・お子さまは親御さまの姿勢を真似します

さらに、次のスライドにはこう書いてあります。

・本気で不登校問題を解決したいのなら、「子は親の鏡」という言葉をお含みおきください
・そこでまずは、お父さま、お母さまが、失敗を恐れず、チャレンジしてください
・「そのためにも今日は、失敗を恐れず恥

▼セミナーの目的を記したスライド

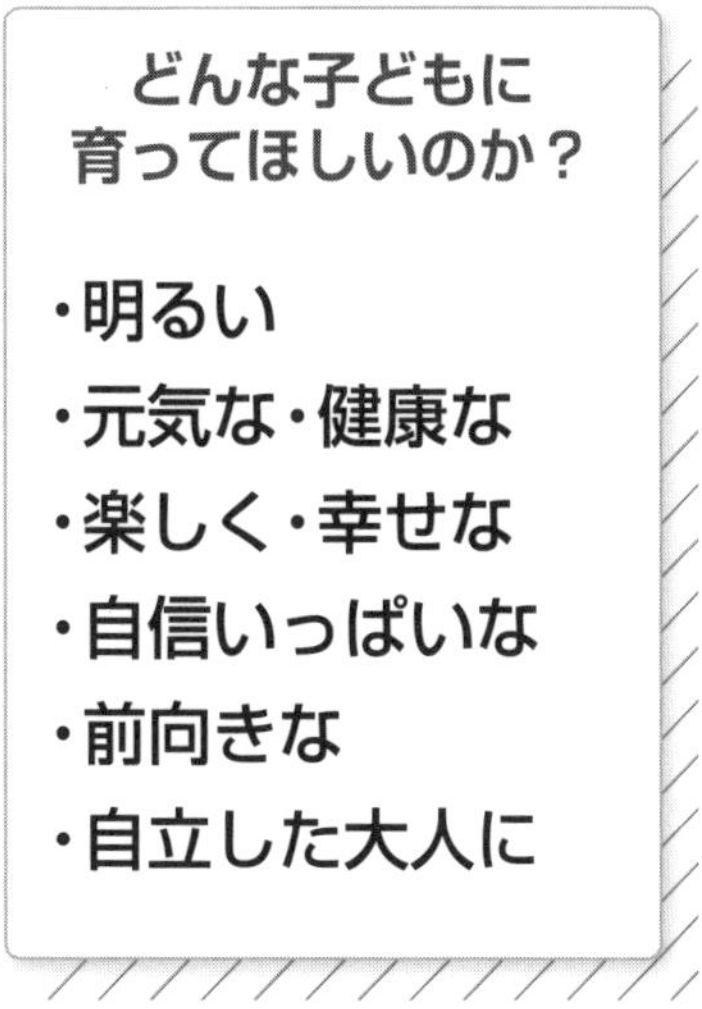
どんな子どもに
育ってほしいのか？
・明るい
・元気な・健康な
・楽しく・幸せな
・自信いっぱいな
・前向きな
・自立した大人に

▼「子は親の鏡」と記したスライド

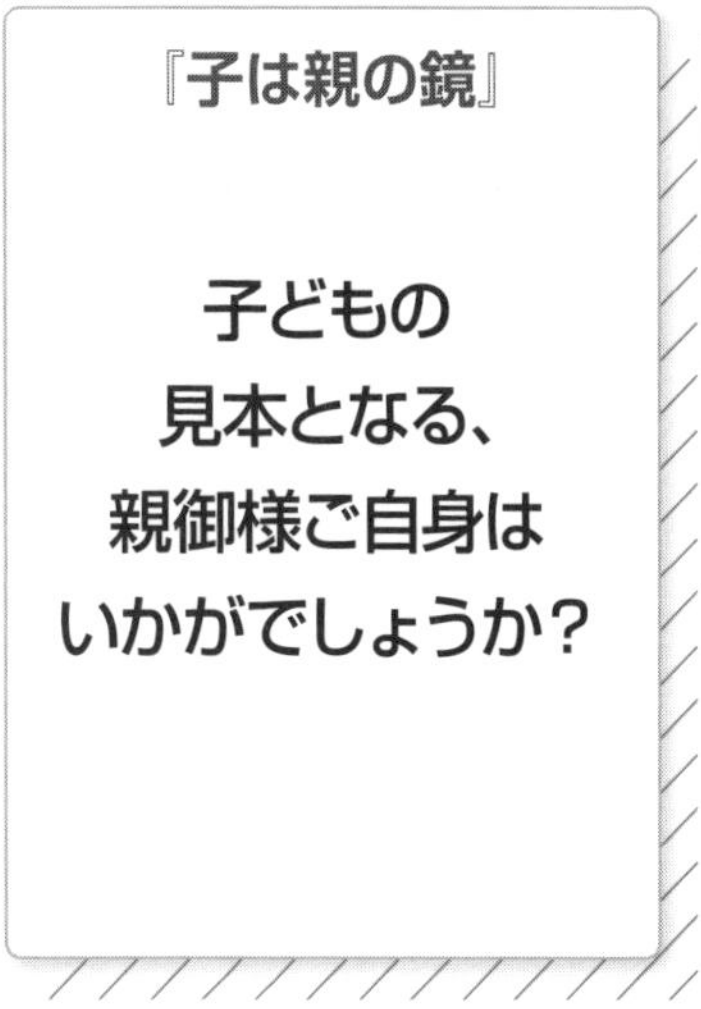
『子は親の鏡』
子どもの
見本となる、
親御様ご自身は
いかがでしょうか？

をかくことを恐れず、率先して前のめりでご参加ください！」

そのあとに、あらためて司会進行役の方から「率先して自己紹介をしてください」とアナウンスしていただきます。

すると、先ほどとは打って変わって、ほとんどの親御さまが率先して自己紹介をし、セミナーにも前のめりで参加してくれるのです。

何が起こったか、わかりましたか？

ここには次の2つのステップが隠されています。

▼「本気で不登校問題を解決したいのなら」と記したスライド

本気で不登校問題を
解決したいのなら……

『子は親の鏡』主体的な参加が学習効果を高めお子様の不登校問題の解決に近づきます！
※カメラONをお願いした理由です

学習効果を高めるために、この時間から不登校問題の解決に近づくために、主体的にご参加ください

例：率先して手を挙げる、発言する、ワークに取り組む
さらに、不登校解決に近づく、成果実証済みのヒントがあります

①お客様の常識・考えをお客様に自ら表明してもらう

↓自己紹介をするように誘導することで、「していない」という自分を固定化

↓さらに理想の子ども像を見せて、お客様に「そのとおり」と思ってもらい、自らの状態を表明してもらう

②①の常識・考えを破壊する

↓①のうえで、それを破壊するスライド（「子は親の鏡」）を見せる

↓そうすることで、できてない自分に直面してもらい、「話を聞いてみよう」「主体的に参加してみよう」と思ってもらう

重要なことは、お客様をあなたが否定するのではなく、自分自身で「今のままではダメだ」と気づいてもらうことです。これにより、お客様は前のめりになり、あなたの商品・サービスに食いついてくれます。

事例 **セールスコピーライター養成講座**

私が開催していたセールスコピーライター養成講座の体験会の例も挙げましょう。通常の自己紹介と同様に、受講生にお名前、職業、参加動機をシェアしてもらうことはもちろん、次の2つもシェアしてもらいます。

①セールスコピーライティングは好きですか?
②セールスコピーライティングの勉強はどのぐらいしてきましたか?

そうすると、セールスコピーライター養成講座なだけにセールスコピーに興味がある方、好きな方が参加しているので、だいたいの方が「好きです」あるいは「苦手だけど、必要だと思って」と答えてくれます。

そして、「セールスコピーライティングの勉強はどのぐらいしてきましたか?」という質問に対しては

「本を数冊読んだことがある」

「セールスコピーに関するメルマガなどを読んだことがある」

「起業塾・経営塾の中で学んだことがある」


という回答が返ってくることが多いです。

ただし、中には、同業者や腕に自信がある人も参加します。単にセールスコピーに興味がある方、好きな方たちは基本的に素直なケースが多いので、一般的な自己紹介でも悪くはありません。しかし、同業者や腕に自信がある人にその場で申し込んでもらうには、いい意味で〝鼻をへし折る〟ことが効果的です。

具体的にどうするのか。自己紹介後の流れは、セールスコピーライティングをマスターするメリットや、セールスコピーライティングに関するクイズを5つほど出題していきます。

最初に出てくるクイズは、全員が正解できるような、簡単なものです。

「これは、医学部に合格したい受験生向け学習教材を販売するホームページのキャッチコピー部分です。キャッチコピーの下は左右同じ内容になっています」
「さぁ、左右どちらのほうが売れたでしょうか？」
「1分差し上げます。左右どちらが売れたか理由を考えてください」

そして、1分経ったら

「それでは、売れたと思うほうに手を挙げてください！　左だと思う人！　右だと思う人！」

という流れで、1人または2人を指し、理由をシェアしていただきます。

▼最初のクイズ

受験教材販売ページの
キャッチコピーをご覧ください

平均的な能力の受験生でも
成績が上がることを保証。
この勉強法で、伸びなかったら
全額返金します！

予備校に通い、1日14時間
以上勉強しても
E判定だった男が医学部に
合格できた！
センスや勘に頼らず
効率よく偏差値UPする
“科目別勉強法”を
すべて公開します。

この勉強法で、成績UP
できなければ全額返金します。

「なんでこの点数しか
取れないの？」

毎日14時間勉強しても
成績が上がらず、
予備校講師にも
バカにされていた
偏差値38の受験生が
医学部に合格！

そこから、次のように答え合わせをします。

「正解は右でした！　理由は……」

こちらのクイズは、セールスコピーライティングの知識がある人はもちろん、まったく知識がない人でも、感覚的に右側を選ぶケースがほとんどです。

「みなさん、素晴らしいですね！　今日はセンスがある方が多いようですね。では、その調子で次にいきましょう！」

そう言って2問目のクイズを出しますが、

▼最初のクイズの答え

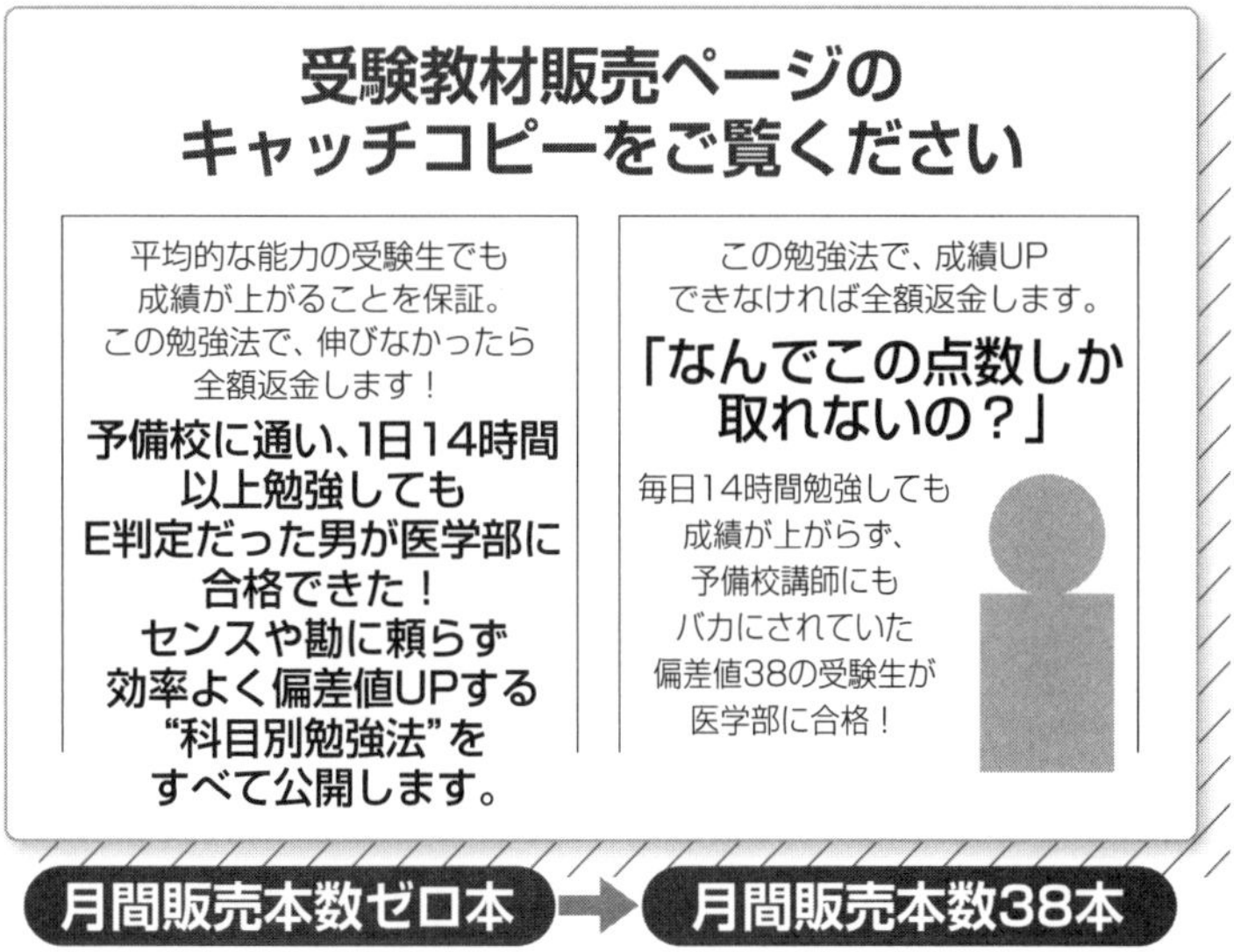
受験教材販売ページの
キャッチコピーをご覧ください
平均的な能力の受験生でも
成績が上がることを保証。
この勉強法で、伸びなかったら
全額返金します！
予備校に通い、1日14時間
以上勉強しても
E判定だった男が医学部に
合格できた！
センスや勘に頼らず
効率よく偏差値UPする
“科目別勉強法”を
すべて公開します。
この勉強法で、成績UP
できなければ全額返金します。
「なんでこの点数しか
取れないの？」
毎日14時間勉強しても
成績が上がらず、
予備校講師にも
バカにされていた
偏差値38の受験生が
医学部に合格！
月間販売本数ゼロ本
月間販売本数38本

こちらもほぼ全員正解するクイズになっています。

ここからが重要です。

「2問目も全員正解！　本当に今日はセンスがある方が集まりましたね！」

「では、その調子で3問目にいきましょう！」

そう言って、次のようなスライドをご覧いただきます。

「これは、歯磨き粉のキャチコピーです。1問目、2問目と同じく、キャッチコピー以下の内容は同じです」

▼3問目のクイズ

受験教材販売ページの
キャッチコピーをご覧ください
歯磨き粉を変えるだけ。
自宅で簡単ホワイトニング!!
笑った時
歯に自信
ありますか？
リピート率
94%

「さぁ、左右どっちがたくさん売れたでしょうか⁉」

セールスコピーライティングの詳細は本書のテーマではないため割愛しますが、右側のほうがセールスコピーライティングの要素が含まれていることから、9割から10割の方が右側を選びます。

そのうえで、1問目や2問目と同じく、右側を選んだ方に理由をシェアしていただきます。

そして、回答を発表します。正解は……

ほぼ全員が右側のほうが売れたと思い込んでいることから、この数字を見た参加者

▼3問目のクイズの答え

受験教材販売ページの
キャッチコピーをご覧ください
歯磨き粉を変えるだけ。
自宅で簡単ホワイトニング!!
笑った時
歯に自信
ありますか？
リピート率
94%
販売個数1日129本
販売個数1日94本

の中には「ええっ⁉」と声を出して驚く方が毎回いるほどです。

　もちろん、単純に驚かせるだけではいけません。


「この場合は、前提として『歯磨き粉 ホワイトニング』『歯医者 ホームホワイトニング』という検索キーワードで検索した人がたどりつくページとなっており、自分が検索したキーワードがそのままキャッチコピーに入っていたため、『これは自分が求めている商品だ！ ページだ！』となり、ページの滞在時間が伸びることから、購入につながっていきます」

「一方、右側はセールスコピーの要素が入っていますが、先ほどのキーワードで検索する人の立場に立つと……」

「このように、文字面だけではなく、前提から考えることが重要です。多くのセールスコピーライターやコンサルタントの先生がここを見逃しているからうまくいかないのです」

　このように、左側のほうが売れた理由を丁寧に伝えて、腑に落としてもらうことで、自己紹介時に「セールスコピーが好き」「腕に自信がある」と答えてくれていた参加者もフタを開けてみればまったくできていないことを自覚してもらい、本腰を入れて私から学ぶ必要があることを強く認識してもらうのです。

この事例でも、自己紹介の2ステップを踏んでいます。

①お客様の常識・考えをお客様に自ら表明してもらう

↓自己紹介時に、自分の経験値を固定化

↓さらにかんたんなワークを通して、「自分は習わなくてもできる」と思っていたお客様に自らの状態を表明してもらう

②①の常識・考えを破壊する

↓そのうえで、それを破壊するワークをおこなう

↓そうすることで、できてない自分に直面でき、話を聞いてみようと思ってもらう

この方法は、資料さえ作成すれば1対1のセールスでも応用可能です。ぜひ取り入れてみてください。

POINT

よくある自己紹介をしてもらっていませんか？
あなたが見込み客に促す自己紹介の設問には、見込み客の性格などを考慮したその場で売るための質問、仕掛けが含まれていますか？

コラム

あなたの説明がスッと入るスライドのポイント

同じことを説明するにせよ、スライドのデザインや見せ方1つで、伝わりやすさは大きく変わってしまいます。ポイントは2つあります。

❶スライドの文字サイズは「28ポイント」以上にする

その場で買ってもらうには、お客様に集中力を維持してもらい、内容をよく理解してもらうことが重要です。そのために、パワーポイントやキーノートなどで資料を作成する際、スライドに記載する文字のサイズ（フォントサイズ）は28ポイント以上にしましょう。フォントサイズが28ポイントよりも小さいと、遠くの方や視力の低い人にとって読みづらく、集中力や理解力の低下につながるからです。

なお、写真やグラフの下に注意書きや補足の意味で記載する文章の場合など、いい意味で強調せずに伝える必要がない場合は例外となります。

また、フォントサイズが大きいほうが、小さいサイズでビッシリ詰まっているよりも内容が理解しやすくなります。キリよく見せたいと思うのか、スライドに小さなフォントサイズの文字を詰め込んで1枚で完結させようとしているケースをよく見ますが、無理に1枚に詰め込まず、2枚、3枚になってもいいので28ポイントを死守しましょう。スライドの枚数は増えますが、枚数が増えることよりも、フォントサイズが小さいほうがデメリットとなります。「スライドのフォントサイズは小さいのがあたりまえ」と思っていた場合は、必ずフォントサイズを大きくしてください。

実際に、私のクライアントは法人向けに営業研修を提供していましたが、フォントサイズを大きくしたことに加え、横文字の専門用語を減らし、見込み客が理解しやすいように寄り添ったスライドに変えただけで、成約率が上がりました。

❷スライドのアニメーション機能で1行ずつ表示する

その場で買ってもらうためには、見込み客の興味・関心を維持し続けることが肝心です。

そのためには、パワーポイントやキーノートなどについているアニメーション機能を使って、文章を1行ずつ表示するのがおすすめです。アニメーションを使わないと、スライドを進めていくたびに、スライドに記載されている文章や写真、グラフなどが一度にドンと表示されてしまいます。先が見えることで、プレゼンテーターの話を聞かない人が増えたり、せっかくの伏線がネタバレしてしまうからです。

第4章

購入を後押しする

あなたの提案する商品・サービスに必要性を感じられたら、その場で購入を決断するお客様はいらっしゃいます。しかし、一歩踏み出すことができないお客様もいらっしゃいます。そんなお客様には、次の3つが非常に効果的です。

- ・価格のアンカリングを利用する
- ・特典にきちんと値段を記載する
- ・返金・返品保証をつける

本章では、迷っているお客様を後押しする方法をお伝えします。

価格のアンカリングでお得に見せる

お客様にその場で買ってもらうためには、人間心理として、お客様にお得だと思ってもらう必要があります。そのために効果的なのが、価格のアンカリングです。アンカリングとは船を錨で留めることですが、転じてお客様が最初に見た価格を判断の基準にするという意味です。

実際に、私の友人の体験で例を挙げましょう。彼は50万円前後で購入できる時計を探しに一流ブランド店へ行きました。そこで店員さんに勧められたのは、500万円の時計でした。予算50万円だった彼は、500万円の時計の美しさに見とれながらも、明らかな予算オーバーだったことから、別の時計を見せてほしいと店員さんに伝えました。

すると、次に勧められた時計は150万円の時計でした。500万円の時計に見劣りするものの、美しさに心をつかまれ、後ろ髪を引かれる思いで予算オーバーであることを店員さんに伝えました。

すると、次に勧められたのは、100万円の時計でした。

結果、予算50万円だったはずが、500万円、150万円に比べると大きく得に感じる100万円の時計を満足げに購入したのです。

このような体験をしたことが、あなたもあるのではないでしょうか？

・三つ揃えのスーツを8万円で買った後は、普段は鞄や靴に数万円もかけないのに、2万円の鞄、2万円の靴が安く見えて、その場で買ってしまった

・新車を購入する際、ギリギリまで値下げ交渉を続けたうえで、相場よりも数十万円安く売ってくれる約束を取りつけた後、数十万円するカーナビやオーディオを勧められ、得だと感じてその場で買ってしまった

……これが価格のアンカリングの事例です。

さて、提案やプレゼンテーション形式でセールスをおこなう場合は、どのように価格のアンカリングを狙っていけばいいのでしょうか?

それは、店舗での提案と同じく、実売価格を提示する前に、お客様に違和感を抱かせずに、基準となる価格を提示することです。

私の経験からのベストタイミングは、提案・プレゼンが始まったすぐ後に、基本的におこなわれる「自己紹介(または会社紹介)」のところです。ここからは、私の事例を交えてご紹介します。

事例　古山正太

このスライド（自己紹介の後半のスライド）を見てください。気になるところはありませんか？

ここには、私のコンサルティングフィー、セールスコピー執筆の依頼を受けた際の制作料が記載されています。こうしておくことで、見込み客は「古山先生に頼むとなると、こんなにするのか！」と感じます。つまり、自己紹介の中で公開するコンサルティングフィーなどが価格のアンカリング（基準の価格）となるわけです。

自己紹介などで自然な形でアンカリングするのではなく、商品・サービスの価格を発表

▼古山正太の自己紹介スライド

実績、報酬単価

ネット・リアル問わず100業種以上のコピーを執筆

顧問契約７件、LP原稿１本最低100万円〜
※受付停止中

個別コンサルティング1時間20万円〜
※受付停止中

司会進行代行60万円〜
※受付停止中

した後に

「私のコンサルフィーは1時間20万円です。この講座では○○時間登壇します。だから○○○万円相当の価値がある講座なので、すごくお得なんですよ！」

と伝えると「先に言うと説明。後に言うと言い訳」になってしまうので、気をつけてください。

次のケースでは講座の詳細を解説し、講座への参加を決断してもらうための説明会のやり方をお伝えします。

事例　不登校専門カウンセラー

▼新井てるかずさんの自己紹介スライド

相談実績1500人以上。不登校解決率100%。
日本初の不登校専門カウンセラー　新井てるかず
個別カウンセリング料金
1時間5万円～
メディア掲載
NTV系テレビドラマ
「ドン★キホーテ」
教育医事新聞 インタビュー
2010年9月25日号
教育課程新聞 書評
2010年7月17日号
教育新聞 書評
2010年7月1日号
女性自身 インタビュー
2009年6月16日号

これまでも登場していただいた、不登校専門カウンセラーの新井てるかずさんです。新井さんは、講座または個別のカウンセリングで不登校問題を解決します。

自己紹介スライドを見てください。私のケースと同じく、「個別カウンセリング1時間5万円～」と記載されていることに気がつくと思います。

新井さんは、月2回、1回2時間の個別カウンセリングを提供していますが、実際にほとんどの方が6ヵ月以内に卒業していきます。そこで、「個別のカウンセリングで不登校問題を解決する場合は、皆様120万円前後で無事問題を解決しています」とお客様に伝えるのです。

そうすることで、講座は1対1のマンツーマン形式でないとはいえ、少なくとも講座は50万円前後であると想定してもらえます。

この講座の受講料は20～50万円なのですが、個別カウンセリングの料金が価格のアンカリング効果となることから、多くの見込み客が受講料をお得に感じ、その場で申し込んでもらえるのです。

●提案の中盤・後半にも価格のアンカリングを入れ込む

2つの事例をご覧いただきましたが、価格のアンカリングは冒頭の自己紹介に入れるだけではなく、提案の中盤〜後半でおこなうとより効果的です。

たとえば、私が開催していたセールスコピーライター養成講座の場合なら、セミナーの中盤で同業者が主催するセミナー・講座の価格はもちろん、講座とイメージが近い専門学校の受講料を伝えることで、価格のアンカリング効果を狙います。

そうすることで、私のセールスコピーライター養成講座の受講料も120万円前後だとイメージしてもらい、実際に受講料を発表し

▼イメージが近い商品の価格を伝えることで価格のアンカリング効果を狙う

つまり、セールスコピーライター養成講座という
名前ではありますが……

「課外授業のようなものがあったり、
先輩と共に学んだり、色んな先生がいたり……
まるで、専門学校ですね！」

専門学校 初年度納付金
平均額：122万円（都内）

た際に得だと感じてもらうのです。

なお、比較対象商品・サービスの価格は、あなたが販売する商品・サービスの2〜3割増しのイメージです。たとえば、私がかつて主催していたセールスコピーライター養成講座は、80万円と100万円のコースを販売していました。そこから逆算して、専門学校を比較対象にしたのです。不登校カウンセラーの新井さんの場合は、親御様がお子様にする投資として、学習塾、習い事、留学などの費用を中盤、後半で伝えます。

専門学校、学習塾、習い事、留学など、自身の商品・サービスとまるっきり同じものを比較しなくてもOKです。得られる結果や効果が近いサービスや商品と比較するのもおすすめです。そうすることで、同じように講座の受講料を得だと感じてもらうのです。

もし、痩身エステなどを販売するのなら、ストイックな筋トレ・ダイエットを提供しているパーソナルフィットネスジムなどと比較するのもいいでしょう。

①お客様の基準となるパーソナルフィットネスジムのサービス内容や費用を正確に伝える。

②その後、自社の商品・サービスの価格発表に入っていく。

このような流れです。

なお、価格のアンカリング効果を発揮するために、比較対象は当然あなたが販売する商品・サービス以上の価格で提供していることが大前提になります。ご注意ください。

ちなみに、価格のアンカリングはTVショッピングでも、たまにやっている場合がありますます。興味があれば、ぜひ注目してみてください。

なお、価格のアンカリングは、非常に強力であるがゆえに、モラルを守って使ってください。そのためにも、くどいようですが、あ

▼得られる結果や効果が近いものと比較する

学習塾・習い事の平均費用

小・中校生：年間12万円〜36万円前後
高校1年生・2年生：年間40〜50万円

高校3年生：年間50〜70万円
※個別指導・難関大学受験なら
年間100万円を超える場合も

なたが提供している商品・サービスが他社よりも高品質であることが大前提になります。そのうえで、迷っている、決断できない見込み客の背中を正しく押してあげることに使うようにしてください。

POINT

自社の商品・サービスの価格を伝える前に、価格のアンカリングをおこないましょう。
あなたの商品・サービスの価格がお得だと感じてもらうことで、その場で買ってもらえるようにしましょう。

特典に価格を添えることで「どれだけ得したか」をわかりやすく示す

本命の商品・サービスを売る際に、特典を付けて売る方も多いのではないでしょうか？

もし、「今なら○○な特典をお付けします!」として売っているのであれば、私は惜しいと言わざるをえません。今だけ付く特典はたしかに魅力的ではありますが、より価値が伝わりやすくすべきです。具体的には、特典にきちんと価格を明記しておくのです。

「えっ、特典なんだから無料じゃないの?」

そう思われたかもしれません。しかし、きちんと価格を明記している方々がいます。それは、TVショッピングや実演販売士の人たちです。

たとえば、彼らがTVを売る際に「今なら特典として録画用のHDDをセット売りします」と販売する場合があります。当然ながら、TVを見る方は番組を予約して、後から見る人が多いので、そのほうが売れやすくなるからです。

それだけでなく、その際には必ずHDDの単品購入時の価格が添えてあります。それは、「お客様が特典によってどれだけ得したか」を価格という観点でわかりやすく示すためです。〝今なら〟○万円のHDDが無料で付いてくるとわかれば、購入の1つの決め手になるのです。

ほかにも、エアコンを売る際には、以前使用していたものの取り外し、設置工事費がかかります。それを〝今なら〟特典として工事費○万円だったものが無料になると明記しています。

お客様は損したくない生き物で、得をしたい生き物です。特典には、きちんと価格を明記してください。

●無形商品・サービスも値付けしよう

私が販売している、セミナー説明会型セールスを教える講座でも特典を付けていますが、特典の1つに個別のコンサルティングが入っています。私はこの特典を紹介する際に、「通常なら個別コンサルティング

▼無形商品・サービスの特典例

- □個別コンサルティング
- □グループコンサルティング
- □グループページで24時間質問OK
（Facebook、LINE、チャットワークなど）
- □復習会、練習会
- □過去に販売した教材
- □主催者と会食
- □主催者と旅行
- □懇親会
- □主催者が開催する別のセミナーや
講座への優待参加権、無料参加権など
- □主催者が紹介する各専門家とのマッチング

はいくらで販売しているのか」をきちんと明記したうえで、特典として無料で付けると説明しています。ほかにもセミナー動画を付けていますが、これも実際に販売しているものなので、その販売価格を載せています。

なお、一度も販売実績がないもの、販売期間が極端に短いものについては、価格を表記できません。ご注意ください。また、特典金額についても基準があるので、気になる方は調べてみてください。

ぜひ、あなたの商品・サービスの特典もきちんと価格が書かれているか確認してくださいね。

POINT

特典の価値を伝えきるとともに、通常販売時の価格を載せましょう。お客様は損をしたくない生き物、今購入するとどれだけ得をするかを説明しましょう。

人は損したくない生き物！
商品・サービスに保証をつけよう

人は得をしたいと思う生き物ですが、それ以上に「損したくない」「失敗したくない」と思っています。

たとえば、電気店でTVや冷蔵庫を購入する際には5年保証などをつけませんか？　これは、壊れる可能性は低いものの、壊れることによる損を防ぎたいからです。実際に保証を受けることになった方は少ないと思いますが、多くの人が保証をつけます。あなたの商品・サービスに保証を付けて、お客さんに「損をしない」とアピールすることは、極めて有効な手段なのです。

たとえば、私が開講しているセミナー説明会型セールスマスター講座では次のようにしています。

成約率50％保証！セミナー説明会型セールスマスター講座

～成約率50%いかなければ、成約率70%越えの私があなたの代わりに売ってきます～

50%いかなければ古山が売ってくるという保証を付けているのです。また、それでも売れない場合は、きちんと返金しています。

「でも、保証なんて用意したら、難癖を付けられて面倒な思いをするのではないか?」

「結果が出ていて満足しているはずなのに、不誠実な人が返金を希望してくるのではないか?」

このように、及び腰になるかもしれません。しかし、そんなことはほぼ起きません。私は1000人近いお客様に成果保証（返金保証）を付けたサービスを提供してきましたが、返金を希望してきた人数は片手で数えられる程度です。

あなたの商品・サービス、オファーが常識的な品質をクリアしており、かつ誠実に仕事をしていれば、返金希望者が山のように集まることはまずありません。ぜひ、勇気ある一歩を踏み出してください。

なお、返金保証をつける際は、返金に応じる条件を正確かつ明瞭に表示する必要があります。ご注意ください。

POINT

お客様は損をしたくない。保証を付けて、損をしないことをアピールしましょう。

支払い方法を複数用意して、スムーズな購入に導く

その場で買ってもらうためには、支払い方法を複数用意すべきことも忘れてはなりません。お支払いについて説明するまでに、あなたは相当な労力を掛けてきたと思います。ここまでの頑張りを無駄にしないためにも、お支払い方法でお客様の気持ちを萎えさせないようにしましょう。

あなたが用意する支払い方法が銀行振込一括しかない場合、あなたの商品・サービスの価格や、お客様の経済力次第では、購入のハードルが上がってしまいます。是が非でも、カード決済を導入することを強くおすすめします。キャッシュフローの問題や、会社の方針で「経費はカードで切りたい」というお客様もいらっしゃるからです。「カードのポイントを貯めたい」という理由から、カード決済を希望される方もいらっしゃいます。

カード決済に対応するにあたって、ビザやJCB、マスターカードだけではなく、アメックス、ダイナース、セゾンなど、取り扱いが多いほうがいいに越したことはありません。また、支払いの分割回数は、30回、36回など、支払い回数が多いほうが、1回あたりの支払額が少ない分、その場で買ってもらえる可能性は上がります。しかし、あなたとカード会社、決済代行会社との契約次第では、あなたの会社のキャッシュフローの悪化や、決済にご利用いただいたカードの期限切れによる回収リスクもあることをお含みおきください。

▼支払い方法の例

- □銀行一括、カード一括
- □カード分割払い
- □銀行振込＋カード払い
- □銀行口座自動引き落としによる分割払い
- □前払い、後払い
- □後払い

後払いを導入することでも、その場で買ってもらえる可能性は大きく高まります。しかし、後払いだともらい損なう可能性があるので、おすすめはしません。あなたがどんな商品・サービスを扱っていても、前払いでいただければ、もらい損なうことを回避できるので、おすすめです。

●分割払い時の回数別支払いシミュレーションも案内する

価格のアンカリングの追記になりますが、分割払い時の回数別支払いシミュレーションも、お客様にご案内することをおすすめします。

それにはまず、銀行・カード一括払いの金額をお見せします。そこから、6回、12回、24回……など、それぞれの回数の1回あたりの金額を明記するのです。そうすると、一括払いの金額を見て「この金額は無理！」と思ったお客様が、「〇回払いなら払えるな……」となり、その場で買ってもらえる可能性が高まります。

また、テクニックとして、最初は「分割回数は6回払いまで」とお伝えし、後半で「12回払いまで可能とさせていただきます」と伝えると、お客様の支払いに対する痛みが軽減するので、その場で買ってもらえる可能性が高まります。

カード分割払いに対応できない場合は、

「お持ちのカードの中には、カード会社のサイトやアプリから、後から分割払いなどを選択できる場合があります。分割払いをご希望の方は、ご自身でご確認ください」

などアナウンスすることで、支払いで諦めかけていた方がその場でお申込みいただける場合があります。

●銀行振込の分割払いは避ける

銀行振込の分割払いはおすすめしません。

なぜなら、回収できないリスクが高まるからです。

▼分割払い時の回数別支払いシミュレーション

最新SNS攻略講座

最新SNSマスターコース受講料
1,500,000円(税込)
本日お申込み⇒1,090,000円(税込)
※カード(ペイパル)分割払い可能です

6回払い…1回あたり約181,666円
12回払い…1回あたり約90,833円
24回払い…1回あたり約45,416円

あなたも経験があるかもしれませんが、カード分割払いなら、自動で引き落としがかかるので手間はありません。一方、振込の場合は、金融機関まで行く手間、あるいはネットバンクから送金する手間が発生します。

また、個人差はありますが、ある程度の金額を振り込むのは、振り込むたびに痛みを感じるものです。この、手間と痛みは曲者です。私の経験ですが、一度入金が遅れる方は、その翌月、翌々月も遅れるケースが多いのです。お客様からの入金が滞ると、その対応にも労力がかかります。そのようなことにならないようにするためにも、銀行振込の分割は可能な限り控えましょう。

どうしても銀行振込の分割を用意したい場合は、弁護士などにその旨の書式を用意してもらい、一筆いただくことで、トラブルを予防することができます。参考にしてください。

●支払い方法をクロージングのトークに活かす

支払い方法を複数用意することは、クロージングのトークにも使えます。

あなたの商品・サービスの必要性が伝わり、お客様から信頼されているとしましょう。そのうえで、お支払い方法について解説します。

「お支払いは銀行振込、カード決済がありますが、どちらをご希望ですか？」
「ご一括、分割、どちらがご希望ですか？」

このように、お客様が商品・サービスを購入することを前提に選択肢を提示することで、お客様は100％商品・サービスを買うと決めていなくても、「どちらかと言えばカードですね」と答えていただけるケースが多いのです。

答えてもらい次第、お客様に申込用紙とペンを渡し、お客様に希望する支払い方法にチェックしていただくのです。

お客様に記入していただければ、その場でお申し込みをいただいたも同然です。後は、お客様が必要事項を記入し終わるまで、あなたは自然体で堂々と口を挟まずに待てばいいのです。

売れる確率を上げる会場選びと演出のポイント

その場で買ってもらうためには、会場選びや演出も重要です。7つのポイントをご紹介します。

①机を用意してはいけない

その場で買ってもらうためには、椅子を用意するのはもちろんなのですが、「机は用意してはいけません」。「机は壁になる」と言われており、セールスマン、プレゼンテーター、講師との距離が遠くなるからです。

②距離を縮める

私は、椅子だけを並べるようにするのですが、なるべくセールスマン、プレゼンテーターと近い距離（2ｍぐらい）に最前列を設定します。そして、隣の方のスペースも近い距離（20㎝ぐらい）にします。距離が遠いと、話の伝達率、影響力が下がり、参加者の当事者意識も希薄になるからです。

また、人数に対して会場が広すぎると寂しい雰囲気となり、場のエネルギーが下がります。30名前後なら、50平米前後の会場をおすすめします。

また、影響力が及ぶ範囲の観点から、講師と参加者、見込み客の距離は可能な限り近づけたいので、図のAではなくBのようなレイアウトにしましょう。

実践していないのなら、ぜひこの方法を取り入れて、場のエネルギーを最大限高くして、スタートを切っていきましょう。

③最初からすべての椅子を並べない

参加予定人数が30人の場合でも、最初から30席並べておくのはNGです。なぜなら、30

▼Aは講師から見て縦長、Bは講師から見て横長

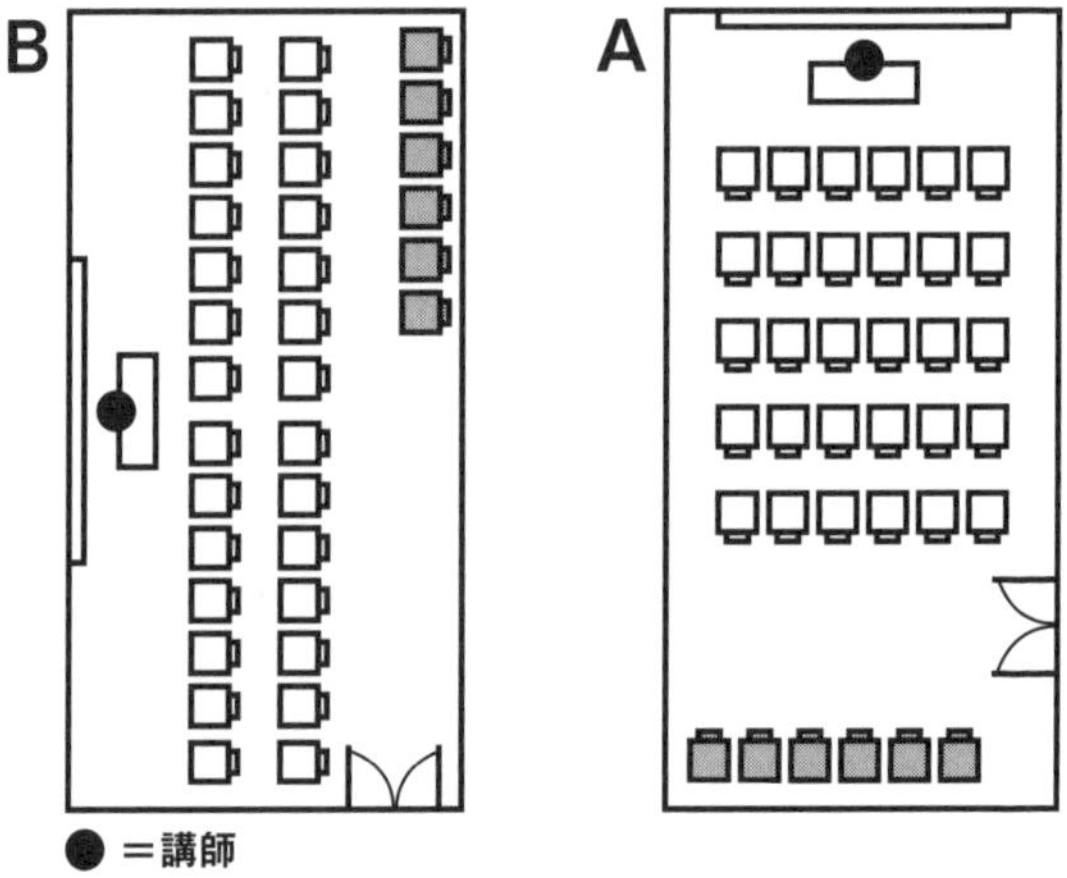

席並べておくと、日本人の気質なのか、後ろの端から座ろうとする人がどうしても多いからです。

また、当日キャンセルが出た場合、前列が空いていたり、ところどころ空席があると、場のエネルギーが下がり、その場で申し込んでもらうことに少なからず悪影響が出ます。

30人参加予定なら、最前列と2列目だけの椅子を用意しておくぐらいがいいでしょう（15席ぐらいのイメージです）。

④最前列からスペースを空けずに座ってもらう

そのうえで、来場者に向けてスタッフが手を挙げて、

「本日、満席予定となっておりますので、恐れ入りますが前列からスペースを空けずにお座りいただきます」

など声をかけて、最前列から隙間なく座ってもらうように呼びかけてもらいます。中には

「トイレが近い」

「エアコンが直接当たる」

「前列は緊張する」


など、後ろに座るための理由をおっしゃる方もいますが、可能な限り真に受けず、最前列からスペースを空けずに座ってもらうのが重要です。

そして、15人目が来場したあたりから、スタッフが椅子を持ちながら以降の来場者に声をかけ、座ってもらいたいところに椅子を置きます。こうすることで、空席をなくすことができ、場のエネルギーが高い状態で、セールスやプレゼンテーションを進めていくことができます。

⑤会場の室温は少し寒いと感じるぐらいに

この理由はかんたんで、温かくすると眠気を催すからです。

ただし、男性と女性の体感温度が違うこともあり、女性からすると寒さで話に集中できないという場合があります。そのため、ブランケットなどを用意することで対処しましょう。

⑥コート掛け、荷物おきは出入口から遠くに

荷物はご自身の座席の下に置いてもらうケースもありますが、可能であれば、コート掛け、荷物おきを使用してもらうようにしましょう。

この場合の荷物おきは、ホテルのクロークなどを使用するのではなく、会場内の、出入口から一番遠いところにしましょう。小賢しいようですが、コート掛けや荷物おきが出入口に近いと、セールスやプレゼンテーションの終了時にサッと帰りやすいため、多少なりとも申込率に影響が出るからです。

逆に、出入り口から一番遠い場所、あるいは講師が陣取る演台や机のそばにあれば、終了時に講師がコートや荷物を取りに来た人に声をかけやすく、そこから立ち話となり、その場で売れる確率が上がります。

⑦掛け時計、置時計は外す

掛け時計、置時計は、会場からは外しておきましょう。最悪、講師の後ろやスクリーン

の傍からは絶対に外しておきましょう。参加者や見込み客の視界に時計が目に入ると、時計に意識が行ってしまい、話への集中力が落ちる可能性があるからです。

以上、7つのポイントをご紹介しました。

私の知り合いの女性経営者はOLからセミナー・研修講師として起業したのですが、私の知りうる限り最速で業界の有名人となり、起業からたった1年程度で年商億越えを実現しています。彼女が何をしたのかというと、起業前にある心理学関係の講座に通って資格を取り、そこから個別に数十名に商品を提供しました。そして、集団向けにセミナーや説明会などをおこなって集客販売活動をしていたのですが……

彼女のすごいところは、初挑戦のセミナーにも関わらず、豪華な会場を借りたうえに、受付、カメラマンも用意し、本人は女優のように美しく着飾ってセミナーを開催したことです。そして、撮影した写真をすぐにSNSに投稿し、多くの見込み客を虜にしました。彼女はこの流れを繰り返し、最短で業界を代表する1人になりました。

もちろん、彼女の飛躍の要因はこれ以外にもあるでしょう。しかし、豪華な会場で開催し、カメラマンを入れることで、自分を一流のプロであると演出していくことでうまくいった面があるのはまちがいありません。これが「はじめてのセミナーだから」と狭く安いセミナールームで開催していたのであれば、おそらくここまでうまくいってはいないでしょう。

「どこでセールスをすれば、自分をよりよく見せられるのか？」

ぜひそれを考えてみましょう。

オンラインで成約率を上げるための3つのルール

オンラインで売る場合には、次の3つのルールを設けると有効です。

①遅刻厳禁、途中入退場禁止

リアルの会場では、遅刻や途中入場などはあまり起こりませんが、いつでもどこでも参加できるオンライン開催の場合は、遅刻や途中退出などは起こりやすいです。しかし、遅刻や途中入退場は必ず禁止にしてください。第3章でお伝えしたように、冒頭からその場で買ってもらうための仕掛けを入れているからです。

そして、最後の最後に、参加者、見込み客にとって朗報となるオファーをすることから、退出されてしまっては、参加者、見込み客、そして売る側の私たちにとっても不幸だからです。

必ず申し込み完了のメールや前日のリマインドメールに、遅刻や途中退出は厳禁であることを明記しておきましょう。

②参加者のカメラオン厳守

▼オンライン開催での注意事項の例

本日の注意事項

1)定刻に説明会を開始できるよう、
開始5分前には会場にご入室ください。
皆さまのご協力をお願い致します。
※遅刻された場合は、参加をお断りさせて頂きます。
また、途中退室はお断りしております。ご了承ください。

2)本日は秘匿性の高い内容を
お伝えしますので録音・録画はご遠慮ください。

3)進行状況や会場の熱気によっては
終了時間がかなり延びる場合がございます。
お時間にはゆとりをお持ちくださいませ。

4)体験会はコミュニケーションしながら進行します。
セミナーの効果を高めるため、以下にご協力ください。

★できるだけ、静かな集中できる環境でご参加ください。
★カメラオンでご参加ください。

カメラオンにしてもらう理由は、当事者意識を持ってもらうためです。カメラオフだと、別の作業をしながらラジオ感覚で聞かれる可能性があり、きちんと説明を聞いてもらえず、その場で買ってもらえる確率が激減します。

「最初に言えば説明、後から言うと言い訳」のとおり、セミナーなどの場合は参加申込の時点や、参加日のリマインドメールなどに必ず、この旨を記載するようにしましょう。

そうしたうえで、さらに当日、話に入る前に注意事項として

「セミナー申込ページ、前日リマインドメッセージに記載したとおり、カメラオンで最後までご参加ください」

と堂々と伝えることで、ほぼ全員がカメラオンにしてくれます。

さらに、カメラオンや最後まで参加してもらうテクニックとして、次のように伝えることが効果的です。

「最後の最後までカメラオンでご参加いただいた方には、プレゼントを差し上げます」

途中休憩をはさむ場合は、休憩に入る直前に、次のように伝えておくといいでしょう。

「休憩明けも、カメラオンでご参加ください」

このような仕掛けを入れることで、カメラオフ、途中退席を防ぎやすくすることができます。

③全体チャット投稿禁止

Ｚｏｏｍにはチャット機能があります。参加者にクイズや質問の回答を投稿してもらうなど、使い方次第ではその場で買ってもらうために役立つ非常に便利な機能です。

しかし、チャットは、あるルールを設けなければ、その場で買ってもらう可能性を激減させるリスクを抱えています。そのリスクとは、全体投稿です。

参加者の中には、悪気なく全体投稿で次のような投稿をする方がいます。

「今日は非常に参考になりました！　子どもがぐずり出したので、こちらで退出させていただきます」

「都合が悪くなったので退出します」

このような投稿をされてしまうと、ほかの参加者の方が釣られて退出してしまうことがあります。

それを防ぐためには、話に入る前に注意事項として次のように伝えましょう。

「何かメッセージを送りたい場合は、全体投稿ではなく、講師または事務局まで個別に送るようにしてください」

ただ、冒頭で伝えただけでは、このことを失念してしまい、後半の説明会で全体投稿をしてしまう方もいらっしゃるものです。そこで、後半の説明会に入る前にも、冒頭と同じ内容で再度「チャットは個別で」と伝えておくことで、トラブルを防げる可能性が高まります。

第5章

言い訳をさせない

ここまでで、お客様に製品やサービスの価値を伝えきれたかもしれませんが、まだ油断はできません。なぜなら、お客様は断り文句を考える天才だからです。特に高額商品であればあるほど

「何でこの商品を買ったんだろう？」
「今、買わなくてもよかったんじゃないか」

などと後で思いたくないため、少しでも疑念点があれば、断る理由を探します。

一度でも、断る理由をお客様に口にされてしまうと、そこから購入に結びつけるのは極めて困難です。

本章では、セールスの最後となる「断り文句をお客様に言わせせない」方法をお伝えしていきます。「終わりよければすべてよし」という言葉もあるとおり、その場で買ってもらうためには、最後の締め方が重要です。

「検討します」を言わせない！質問や断り文句を先読みする

その場で売るには、お客様から断り文句がひと言も出ないようにする必要があります。むしろ、お客様から商品に対する質問ですら出ないようにするのが理想です。

そのためには、第1章で登場したBDFを活かして、お客様の質問や断り文句を先回りで説明できるようにしましょう。具体的には、次の順番で先回りで説明できるようにしていきます。

①お客様のBDFを把握する
②BDFをもとに質問や断り文句を書き出す
③想定した質問や断り文句に先回りして説明する

1つずつ順を追ってみていきましょう。

①お客様のBDFを把握する

お客様像が絞られている&今までに商品・サービス販売時に挙がった断り文句を集め、お客様の性格、価値観をBDFで把握します。第1章でもお伝えしましたが、あらためて解説します。

B：ビリーフ＝お客様の価値観・思い込み
D：デザイア＝欲求
F：フィーリングス＝感情

不登校専門の講座を開講されている新井てるかず先生の場合で解説します。お客様は、不登校のお子様をお持ちの親御様になります。

▼お客様のBDFを把握する

●売り手
自発的再登校を実現する講座を開講されている先生

●お客様
不登校のお子様をお持ちの親御様

▼B（ビリーフ）：価値観、思い込み
・臆病
・失敗を過度に恐れる
・恥の感覚が強い
・世間体を強く意識する
・must（〜しなければならない）に囚われている

▼D（デザイア）：欲求
・学校に元気に行くようになってほしい
・朝自力で起きるようになってほしい
・ゲームやスマホの長時間利用をやめてほしい
・自ら進んで勉強するようになってほしい
・自立した幸せな大人になってほしい
・世間体がいいことではないので、

不登校のお子様をお持ちの親御様は、あくまでも私たちの経験ではありますが、失敗を強く恐れる方が多く、決断を先延ばしにする傾向にあります。また、常識、世間体を重視する方が多く、失敗や恥をかくことを恐れる傾向にあることから、反論、断り文句が頻出します。

あなたがはじめて販売をおこなう商品・サービスの場合は、お客様の立場に立って、質問や断り文句を想定してください。

②BDFのイメージ像をもとに質問や断り文句を書き出す

BDFから想定される質問、あるいは断り文句を書き出します。

・こっそり穏便に済ませたい
・なるべくお金もかけたくない　など

▼F(フィーリングス)：感情

・「自身の子育てが悪かったのではないか」と不安、後悔している
・不登校になる理由がわからず混乱している
・発達障害、HSPなど子どもの気質、特徴のせいで不登校になってしまい、憤りを感じている
・不登校の原因を作ったクラスメイト、教師、部活動の先輩などに腹を立てている
・勉強の遅れ、進級が心配
・将来自立してくれるのか不安
・子育ての本やカウンセリングを受けさせたこともあるが、具体的な解決につながっておらず、焦りが増すばかり
・思いどおりにならないと、子どもを怒鳴る、嫌みを言う、手を挙げるなどしてしまい、罪悪感に苛まれる

この際、今までにお客様からいただいた質問や断り文句が実際にあるのなら、それも書き出します。

③想定した質問や断り文句に先回りして説明する

質問あるいは断り文句を書き出したら、あらかじめシナリオやスライドに盛り込んでおき、お客様に先回りして説明してしまいます。

このように、お客様から出てくる質問・断り文句を先に説明しておくことで、お客様は納得して商品・サービスを購入してくれるようになります。

◀BDFのイメージ像をもとに質問や断り文句を書き出す

●売り手
自発的再登校を実現する講座を開講されている先生

●お客様
不登校のお子様をお持ちの親御様

・主人(または妻)に相談します
・主人(または妻)が反対するので
・去年までは不登校だったのですが、最近は週1回ぐらい登校できるようになってきたので、様子をみたい
(復調の兆しが見られるので、様子をみたい)
・スクールカウンセラー(カウンセリング料無料、または500円程度)と比べて、価格が高すぎる
・まず、自分でやってみます

◀想定した質問や断り文句に先回りして説明する

●売り手
自発的再登校を実現する講座を開講されている先生

●お客様
不登校のお子様をお持ちの親御様

▼Q：主人(または妻)に相談します／主人(または妻)が反対するので
▼A：旦那様が反対する本当の理由も、似ています。

・人を頼れない
・人を信頼できない
・他人を警戒している
・知らない世界が怖い
・人間不信(人は腹の中が違うと思っている)

という自己肯定感の低さです。

これは子どもにも悪影響ですし、話し合いを成立させるのは難しいため、参加をお母さんが自分で決断してください。

▼Q：去年までは不登校だったのですが、最近は週1回ぐらい登校できるようになってきたので、様子をみたい……
(復調の兆しが見られますので、様子をみたい)
▼A：お子様の自分軸が確立しないまま、何らかの方法で復調、あるいは再登校することは時折あります。しかし問題点は、ちょっとの刺激で再発すること、さらにその状態で再発すると今度はテコでも動かず、同じ方法が通用せずまったく改善しなくなることです。
いつ爆発するかわからない爆弾を抱えているようなものです。

▼Q：まず、自分でやってみます
▼A：自分1人でやりたくなる本当の理由は

・人と距離を取りたい、人を頼れない
・知らない世界(講座参加)に一歩踏み出すのが怖い

・自分のできないところを見せたくない
・○○先生やまわりについていけない自分を実感したくない

という自己肯定感の低さです。
こういったご不安も、○○先生はわかってくださいます。
この、人との心の壁（距離）は子どもにも作用するため、不登校は改善しません。
○○先生とともに直しましょう。

先ほどの「自分では改善点を見つけられない」ワークや「我流が起こした最悪のケース」を思い出してください。
○○先生の経験上、我流でうまくいったのは20％未満。80％失敗しています。
ここでいう失敗とは、時間・お金・子どもの自己肯定感すべてにおいてロスあるいはマイナスになるということです。

プロに頼ってください。

質問には「おすすめ」で回答するのがベスト

回答の仕方にも、成約率を高めるコツがあります。それは、「質問に対しておすすめする形で回答する」という方法です。

事例　整体院兼エステサロンのホームページとチラシ

私が過去にコンサルティングをした整体院兼エステサロンのホームページとチラシの例を挙げます。よくある質問コーナーに目を向けると、こんなことが書いてありました。

Q：駐車場はありますか？
A：駐車場はございません。駅から徒歩12分になります。

12分と聞くと、人によっては億劫に感じる距離になり、集客につながりづらいことから、オーナーに以下について質問しました。

「近所にコインパーキングはありませんか？」
「近くにバス停があったりしませんか？」

すると、コインパーキングが近所にあるばかりか、1時間たったの400円でした。

「400円でお客様が今以上に増えるのなら、そのぐらいの負担はどうってことない」とオーナーには了承していただいたうえで、次のように伝え方を変えました。

Q：駐車場はありますか？

A：当院から50Mのところにコインパーキングがあり、会計時に施術料金から1時間分（400円）の駐車料金を差し上げます。お車での来院をご希望の方は、お車でお越しください。

このように明記したところ、車で来院する新規のお客様が増えました。

これは集客の事例でしたが、セールス、プレゼンテーションも同じです。このように気を利かせることで、その場で買ってもらうことができるのです。

事例　焼き鳥を提供する居酒屋

もう1つ、質問におすすめで返す例をお伝えします。

私が大学生の頃に、焼き鳥を提供する居酒屋で働いていた時の話です。お客様からこんな質問をされました。

「お兄ちゃん、ぽんぽちって鳥のどこ（の部位）？」

「しっぽです」では質問に正しく答えているものの、まったく気が利いていません。

そこで、私は実際にこんなふうに答えました。

「しっぽのことなのですが、コリコリっとした食感で、噛み応えがあるんですが、そういう食感はお好みですか？（「好きだね」という反応の後）お好きなのですね！」

「鳥の部位の中でも脂が一番のっていて、ジューシーで美味しいですよ！　1本、いってきますか？」

どうでしょうか？　とても気が利いていると思いませんか？

そして、我ながら大したものだと思うのは、最後にちゃんとおすすめしていることです。

結果、お客様ははじめて食べるぽんぽちを喜んで注文してくだり、日本の飲食店では異例のチップ1000円を帰り際に頂くことができました。

事例 不登校問題解決講座

先ほどの不登校問題解決講座でも例を挙げましょう。

質問が出ないようにプレゼンテーションを展開していくことに加え、どうしても質問があるという場合は、講座についての質問のみ受け付けるとお伝えするものの……重度の心配性の親御様は、講座の終わり際で、次のような質問をされるケースがあります。

「先生、ウチの子は○年前から不登校になって、きっかけはきっと○○で、今は○○な感じで……」

必死さゆえ、ルールを無視して、我が子の状況をイチから語り始めてしまうのです。

その場で買ってもらうためには、厳しいようですが、この場で親御様の悩みを漏れなく聴いてはいけません。アドバイスをしてもいけません。なぜなら、アドバイスをもらった親御様は、その時だけは心が軽くなります。そして、多くは

「先生のお陰で気持ちが楽になりました。さっそく家に帰って、先生のアドバイスどおりに子どもに接してみようと思います」

と言って、講座へのお申し込みをせず帰っていくからです。

しかし、たった数分、数十分程度のアドバイスで不登校問題が解決することは、99%ありえません。ゆえに、その場でアドバイスをすることは、親御様もお子様も、先生にとっても不幸でしかない、絶対にやってはいけないことなのです。

話が長くなりましたが、肝心のおすすめで返す例をお伝えします。その先生には、アドバイスすることをやめてもらい、次のように伝えてもらうようにしました。

親御様「先生、ウチの子は○年前から不登校になって、きっかけは○○で、今は○○な感じで……」

講師「それはものすごくお辛いですね。○○さんとしては、3つのコースの内、どれがよさそうだと思いましたか？」

親御様「ええと、ウチの子はこうであでこうなので……○コースでしょうか」

講師「なるほど。私もそう思います。○コースがおすすめなので、○コースになさっておいてください」

このように質問&おすすめという形に切り替えてもらったところ、見事にその場で申し込みが入るようになりました。

POINT

その場で買ってもらうためには、セールス、プレゼンテーションの中で、可能な限りお客様から質問が出ないようにするのが肝心。

BDFを用いて、見込み客を圧倒的に理解することで、質問や断り文句が1つも出ないようにしましょう。

それでも「検討します」と言われる場合は、ココを疑え！

お客様の疑問点や断る理由を潰したにも関わらず、「検討します」「必要になったら連絡します」と言われてしまうのであれば、あなたが商品・サービスの内容を理解できない伝え方をしている可能性が高いです。代表的な例をお伝えしましょう。

●専門用語の多用

専門的なサービスを売る方ほど、専門用語を用いる傾向にあります。もちろん、その商品・サービスをよく理解している人に売るのであればいいのですが、専門用語を知らない方への提案にも関わらず、自分たちにしかわからない用語を使う場合が見られます。

この状況で恐ろしいのは、お客様はよくわかっていない点を質問してくれず、わかったふりをして話を聴き続ける場合があることです。結果、お客様は価値がよく理解できませんから、「検討します」と言わざるをえないのです。

私の実体験ですが、このケースは意外と多いです。それゆえ、必ず、お客様に伝わる、理解できる言葉に置き換えましょう。

●文字だけで伝えない

「提案書やスライドを見てみると、文章ばかり。難解な数字やグラフばかり」

これも、売れない人によく見られる傾向です。必ず、お客様の理解を促す、わかりやすい図や写真を入れておきましょう。

ただし、注意すべきは、写真や図ばかりになってしまうことです。たしかに写真や図は理解を促すのに有用ですが、過度な利用は逆に理解することの妨げになります。

●アドリブに頼らない

アドリブが多い方は、アドリブを言葉で伝えるだけにせず、スライドや提案書に明記することが極めて重要です。アドリブの場合、毎回の提案、プレゼン内容にバラつきが出て、大切なことを入れ忘れることがあるからです。

さらに、アドリブだと、耳には入りますが、提案書やスライドに記載されていないことは目に入らず、視覚優位の方を取りこぼす恐れがあります。

また、アドリブの恐いところは、余計なことを言ってしまう場合があることです。余計な話は、成約率のダウンにつながります。

だからこそ、アドリブに頼らず、きちんとスライドや提案書に入れることが重要なのです。

POINT

お客様の立場に立ち、負荷をかけないような説明を心がけましょう。アドリブはＮＧ！　あなたが伝えたいことをすべてスライドや提案書にきちんと盛り込みましょう。

成約率を上げるためのキーワードは「51%以上」

購入を迷っているお客様の背中を押すには、本格的にクロージングする前に、途中で

「購入を考えていらっしゃいますか？」

などテストクロージングをおこなっておくことが効果的です。しかし、中盤で露骨に買うか買わないかを確認することは、売る側にとって勇気がいるものです。

そこでおすすめなのは、中盤で次のように聞くことです。

「現段階で購入できるものなら、51%以上購入したいと思いますか？」

「現段階で購入できるものなら、51%以上購入したいと思う方は手を挙げてください」

（相手が複数の場合）

そこで手が挙がれば、その場で買ってもらえる可能性がグッと高まります。理由は次のとおりです。

- 人は自分の意見や意思を表現すると、自ら進んで自分の意見や意思を肯定する理由を考えてしまう傾向がある
- 一度イエスと言ったことに対して、後から「やっぱり……」と意見や意思をひっくり返すことは、人が生まれつき持っている「一貫性の法則」から外れることにもなり、言い出しづらい

「51％以上」と言っている理由は、単純にイエスかノーで質問すると、慎重な人はとりあえずノーと回答することが多いからです。「51％以上」と伝えることで、手を挙げてもらえる率を上げています。

うまくイエスを引き出せたり、手が挙がったらチャンスです。すかさずこのように聞いてみましょう。

「前向きな理由は何ですか？」
「購入してみたいと思った決め手は何ですか？」

これをシェアしてもらうことで、シェアする本人の成約への意欲が高まることはもちろん、1対複数形式の場合はまわりで聞いている検討段階の人たちの成約意欲を高めることができます。売り手ではなく、同じ買い手の方が決め手を語ることで説得力が増すからです。

また、割引販売する場合は、割引前の価格を伝えた後にテストクロージングをおこなうと、効果がさらに高まります。

もし、この時点で手が挙がる、成約の意思が強い人がいる場合は、成約はほぼ決まったも同然です。しかし、油断はせずに、先ほどと同様に、理由や決め手を語ってもらうようにしましょう。理由は、先ほど述べたとおりです。

さらに、割引価格を提示した後にも、理由と決め手をシェアしてもらいましょう。くどいと思うかもしれませんが、特に1対複数の場合は、検討中の人の背中を強く押す要素になります。

挙手がない場合の切り返しのポイント

もしノーと言われた場合、手が挙がらない場合は、どうすればいいのでしょうか？
ご安心ください。こんなふうに伝えてみましょう。

「ありがとうございます。まだ情報が足りませんよね。引き続き、説明をさせていただきますね」
「そうですよね。手を挙げたら、ロックオンされそうで怖いですよね？　では、引き続き説明をさせていただきます」

このように自然に堂々と伝えることで場の空気が悪くなる、成約率が下がったことは、経験上ありません。ぜひ挑戦してみてください。

集団心理を用いて成約率をさらに高める

1対1、1対複数のどちらの場合でも、早い段階で全員が購入を決めていれば、テストクロージングは完璧です。しかし、まだ検討中の方がいる場合は、これで終わってはいけません。質疑応答やよくある質問の先回りなどを終えた後にも、このテストクロージングをするのです。

極めつけは、1対複数の場合は新たに手を挙げていただいた方に、決め手をシェアしていただいた後、すぐに

「○○さんのお話を聴いて『購入してみよう！』と前向きになった方も手を挙げてください」

と声をかけることができたら最高です。そこで新たに手を挙げる人がいれば、集団心理が働くこともあり、先ほどまでは検討中だった人も、いよいよ購入を決断してくれることが

あります。

ここまでやることができれば、50人近い場合も、条件次第では10割に近い人がその場で購入してくれることも夢ではありません。

なお、手を挙げることや意思表示をすることが苦手、または売り手にコントロールされているようで嫌だと思う人や、手を挙げたり意思表示をしないタイプの人も中にはいらっしゃいます。しかし、そのような人も、リアクションが悪い中でも最終的には購入してくれるケースが多々あります。だからこそ、あなたは途中で怖気づいたり、落ち込んでしまい、諦めてしまうことは絶対にNGです。なぜなら、愛想よく、ニコニコ提案を聴いてくれる人がその場で買ってくれるかといえば、そうでもないからです。目の前のお客様のリアクションに一喜一憂せず、ペースを崩さず淡々とシナリオどおりに進めていくことが、その場で買ってもらうための極意だと断言します。

その場で売るには、ある程度の勇気と覚悟が必要です。ぜひ、テストクロージングを最低2回はおこなうようにしてください。

POINT

セールス、プレゼンテーションの中でテストクロージングを最低2回おこないましょう。

お客様のリアクションに一喜一憂せず、テストクロージングを2度、3度、4度おこなってみましょう。

やり方次第で大逆転できる！ 自然で嫌らしくない締め方の極意

その場で買ってもらうために、一番やってはいけないことは、説明を終了した後に

「検討しておいてください」
「お返事をお待ちしております」

など、お客様に購入の判断を投げて終えることです。

では、ベストな締め方とはどのようなものでしょうか？

それは「こちら（主催者側）から話を終わらせない」ことです。なぜなら、話が終わったことがお客様に伝わると、「帰っていいんだな」という空気になるからです。特に1対複数の場合は、帰り支度を始める人や会場を出る人が増えれば増えるほど、検討している人も引きずられてしまいます。

1対1の場合も、1対複数の場合も、セールス、プレゼンテーションが終わったことをお客様に伝えてはいけません。

「ご清聴ありがとうございました！」「以上となります」などは一切言ってはいけません。BGMを流したり、席を立ったり、会場のドアを開けて「お帰りはこちらです」なんて言っては絶対にいけません。

では、「終わりました」「ありがとうございました」とは言わず、どのようにするのがベストなのでしょうか？

①質疑応答タイムにする

すべての説明が終わったら、まずは質疑応答タイムにしましょう。

ポイントは、「どんな質問でもＯＫです」とせず、「商品・サービスに関する質問だけを受け付けます」とアナウンスすること。そうすることで、個人的な悩み相談や、商品・サービスの購入にまったく関係ない質問を限りなく減らすことができます。

とはいうものの、本気で困っている、迷っている方に個人的な悩み相談をされる場合があります。その際は、前述のとおり、質問にはおすすめで回答するようにしましょう。

また、前工程のセールスやプレゼンテーションがうまくいっていない場合に質疑応答タイムで多いのが、「検討します」と言われてしまうケース。素直にその言葉を信じて、セールスを終えてはいけません。

「具体的にどのあたりが検討材料でしょうか？」

そう質問することが大切です。

私の経験上、「検討します（断り文句）」と言われて断られる理由は、大きく2つに分かれます。

①決裁権者じゃないから
②商品・サービスに興味はあるが、内容を理解できなかったから

①の場合は、検討を覆すことは難しいです。集客の仕方を見直しましょう。
②の場合は、さらに掘り下げると、次の理由から「とりあえず検討します」と言われてしまうことが多いです。

- 商品・サービスが複雑で、一度説明を聞いただけで理解ができなかった
- 話のペースが速く、理解が追いつかなかった
- 商品・サービスのコースが多岐に渡り、判断に迷う

これらの場合、もう一度説明し直せば、商品・サービスについてきちんと理解していた

だくことができ、その場で買ってもらえる可能性が高まります。

あるいは、自分や自社にピッタリな商品やサービス（コース）などが明確になることで、同じくその場で買ってもらえる可能性が高まるのです。

そのため、ちょっと勇気がいるかもしれませんが、このようにお伝えしてみてください。

「はい、それではもう一度最初からお伝えさせていただきます」

そして、イチからセールス、プレゼンテーションをするのです。

驚かれたかもしれませんが、実際にここから挽回できたことがあります。

もし、断られてしまったとしても、過剰に落ち込む必要はありません。そもそも、申し込んでもらえない相手だったからです。

事例 不登校専門カウンセラー

「先生、ウチの子はこうこうこうで、こうなんです。どうしたらいいのでしょうか？」

この質問に対して、個別具体的に回答をすると

「ありがとうございます、スッキリしました！　さっそくウチに帰ってやってみます」

こんな感じで、その場で買ってもらうことはできません。

それに、浅いテクニックを教えて帰らせてしまうと、本質的な問題解決にならないので、親御様にもお子様のためにもならないのです。

そこで、次のように回答します。

不登校専門カウンセラー「それは本当にお辛いですね。お母様としては、どのコースがよさそうだと感じられましたか？」

親御様「ええと、ウチの場合は○○で○○なので、○○コースかなと思います」

不登校専門カウンセラー「はい、私も○○コースがいいと思います、○○コースで一緒に解決していきましょう。事務局さん、お手続きをお願いします」

このように返答することで、その場で買ってもらうことができます。

②アンケート兼申込用紙を配り、受付に誘導する

Ｚｏｏｍなどオンラインでのプレゼンテーション・説明会・体験会の場合は、チャットに該当するＵＲＬを投稿します（プレゼンテーションのスライドにＱＲコードを表示）。

リアル会場の場合、アンケート兼申込用紙を配り、お申し込みを決めた方から、なるべく速やかにアンケート兼申込用紙の提出先である受付に行っていただくようにしましょう。受付に列ができることで、迷っている方の背中を押すことになるからです。

あなたのセールスの質、商品サービスの価値、販売価格、参加者の人数などにも左右されますが、参加者が10人以上いる場合、私のやり方を素直に実践していただければ、少なくとも1～3人は迷わずに申し込みをしてくれるはずです。迷わずに申し込んでくれる人たちに、早めに受付に行っていただきたいことから、次のような言葉を添えることがおすすめです。

「申込のお手続きに多少時間を要しますので、すでに申し込みを決められた方から、受付にお早めにお並びください」

受付に列ができれば上出来です。

その際、セールスマン（プレゼンテーター）、お手伝いの方の手が空いている場合は、申し込みを決めた方に決め手を語っていただきましょう。申込者に決め手を語ってもらうことで、自己説得になり、申し込み後のキャンセル止めにつながります。

リアル会場で受付に向かう方が少ない場合、あるいは我先に会場を出ていく人が多い場合でも、諦めてはいけません。椅子から立ち上がらずに、アンケート兼申込用紙をじっと見つめている方は、こちらから話しかけることで、申し込みにつながる可能性大です。

その際、どんなふうに声をかけるかも重要です。「何かご不明な点はございましたか？」「お申し込みでお迷いですか？」などの声がけをしてしまうと、迷っているものの、売り込まれるのが苦手な方は「いえ、大丈夫です」と反射的に答えてしまうことが多く、会話が続きにくくなってしまいます。そこで、こんなふうに、たずねるのがおすすめです。

「今日はどちらからいらしたのですか？」

「お仕事は何をされていらっしゃるのですか？」

「今日はどんな理由でご参加されたのですか？」


こんなふうに接触すると、「いえ、大丈夫です」という回答になることが極めて少なくなり、会話が弾みやすくなります。

その中で、「どのあたりがいいと感じましたか？」など商品・サービスについて会話を進めていくことで、多くの場合、悩んでいる見込み客の方から

「私の場合、どのコースがいいんでしょうか……」

「申し込みたいのですが、今ちょっと貯金が……」


など、迷っている理由を教えてくださいます。

そこからは、応援してくださる方の腕前や、前段階で反論処理をどれだけできているか次第で、お申込みにつながります。

コラム

お土産を声がけに利用する

リアル会場で迷っている方に声をかけづらい場合は、何かしらのお土産（参加プレゼント）を用意して、それを迷っている方に渡しつつ、自然にその場にしゃがみ込む方法がおすすめです。お土産は、セールスやプレゼンテーション内容を1枚にまとめたPDFを印刷したようなものでOKです。参加プレゼントを渡す目的は、自然に声がけをする＆しゃがみ込むことです。

また、1対複数の場合、すでに申し込みを決めた方が会場に残っている場合がありますが、その方を迷っている方の近くにお呼びすると、迷っている方の背中を押してくれるケースも多く、おすすめです。迷っている方は、決めた方の言葉をこっそり聞いている場合も多く、すでに申し込んだ方の決め手を耳にすることで、申し込みへの決意が固まるメリットもあるのです。

それでもその場で買ってもらえなかったら

1対複数の場合は、その場に残っている方全員から、本日の感想などひと言もらうようにしましょう。ただし、ポイントがあります。単純に感想をもらうのではなく、こんなふうに伝えてみてください。

「感想をお願いします。また質問がある方は質問もしてください」

ここまで来て、その場で買わない方の多くは、好意的な感想を述べつつ、何かしらの理由を添えて「今回は見送ります……」とおっしゃいます。しかし、中には「質問もしてください」が呼び水になり、質問をする方もいます。そうすれば、しめたもの。その場で買っていただける可能性は大きく高まります。

そのうえで、余裕があれば、次のように伝えましょう。

「今、○○さんの感想とご質問とそれに対する私の回答を聞いて、気が変わった方はお申し込みください」

これも、最後の最後まで諦めずに。こちらから話を終わらせずにいたからこそ、得られるチャンスなのです。

また、当然ですが、その場で買っていただけないからといって、お客様に冷たいリアクションを取るのは絶対に絶対にNGです。「その場で買ってもらう」というテーマの中、妥協しているように感じられるかもしれませんが、別のタイミングで買っていただけることがあるからです。何よりも、お時間をいただいたお客様へ感謝の気持ちをお伝えすることは、人として当然のことだからです。

POINT

自ら進んでセールスやプレゼンテーションを終わらせないようにしましょう。

「検討します」と言われても、真に受けず、諦めず、具体的に検討内容を深堀し、再度セールス、プレゼンテーションし直しましょう。

残っている方全員からひと言もらいましょう（質問が来たら大チャンス）。

最後の最後まで諦めないことが大切です。

セールスの際には必ず応援を呼ぼう

さきほど「お手伝いの方」と書きましたが、ここでいうお手伝いの方とは、あなたの会社のスタッフさん、商品・サービスのユーザー、既存客、スクールや講座などを販売している場合は現役の受講生や卒業生などを指します。そういった方にクロージングのお手伝いをしていただくことで、その場で買ってもらえる可能性が大きく高まります。

もし、上記に該当する方がいない場合は、外部の営業代行、クロージング代行をしてくれる業者さんもいらっしゃるので、ご利用を検討されてもいいかもしれません。ただし、実力にバラツキがあるという話を同業者よりよく耳にするので、慎重に探すことをおすすめします。

●10名増えるごとに3人前後応援を増やすのが理想

1対1の場合はお手伝いの方がいると圧が強すぎるので、無理に応援をお願いする必要はありません。しかし、1対複数の場合は、次の目安で応援を呼ぶことをおすすめします。

・参加者10名前後　↓　あなた＋事務・受付1人＋応援3人前後
・参加者10〜20名　↓　あなた＋事務・受付1人＋応援6人前後
・参加者20〜30名　↓　あなた＋事務・受付1人＋応援9人前後

10名増えるごとに3人前後応援を増やすのが理想です。

●Zoomの場合はブレイクアウトルームを活用しよう

会場がZoomの場合も同じです。経験上、ブレイクアウトルームに応援1人あたり2〜4名のお客様にするとバランスがよく、その場で買ってもらえる確率が高まります。

その間、あなたはメインルームに事務・受付の方と2人で待機していることをおすすめします。

そして、お金の話や、あなたや事務の方にしか聞けない相談があった場合、ブレイクアウトルームからメインルームへ該当する方を戻すようにしましょう。

情報のやりとりを応援者の方とするために、あなた、事務・受付、応援者の方はスマートフォン、あるいはPCのチャットツールなどを使い、タイムリーに連絡が取れるようにしておくのを忘れないようにしてください。

ブレイクアウトルームでは、応援者の方に真っ先に簡単な自己紹介をしていただきましょう。自己紹介をしない場合、失礼だと感じるお客様も中にはいらっしゃいます。その場で買ってもらうためには、好意を得ることが欠かせません。そのためにも、礼儀正しくご挨拶をしてもらうように徹底しましょう。そういうトラブルが起きないためにも、セールスマン／プレゼンテーターから、ブレイクアウトルームに分ける前に、応援者の方を軽くご紹介しておくことをおすすめします。

応援者の方には「申し込みを決めた方はいらっしゃいますか？」とたずねてもらうこともポイントです。そして、該当する方がいた場合は、決め手をシェアしてもらうようにします。ブレイクアウトルームの中に、1人でも申し込みに前向きな人がいると、迷っている方の背中を押すことができるからです。

申し込みを決めた人がいない場合も、心配には及びません。

「そうですよね！　今、手を挙げて、私にロックオンされたら怖いですよね？」

など、手が挙がらないことは当然であるという態度で堂々とすれば、空気が悪くなることはありません。そのまま自然に

「○○さんは、今日どういう理由でご参加されたのですか？」

「お仕事は何をされているのですか?」

など、お客様のリアクションに落ち込まず、朗らかに質問をしていくことで、その場で買ってもらえるチャンスが生まれていきます。

おわりに

ＨＯＷ思考で商品価値を高めよう

本書では、プレゼンテーション、セールスの質を上げることでいかに成約率を上げていくかをお伝えしてきました。ただ、お客様に商品・サービスを購入してもらうには、伝え方、見せ方も大切ですが、何よりもお客様にとって魅力的な商品・サービスであることが必要不可欠です。競合他社の商品・サービスよりも劣っていれば、お客様はあなたの商品を選びません。

私がお伝えしている内容は、あくまで「商品の魅力を伝えきる」というノウハウです。20の価値しかないものであれば、20まで伝えることしかできません。それを超えて伝えてしまえば、お客様に対して不誠実になってしまいます。

では、どうすれば商品価値を高め、誠実にビジネスをしていくことができるのでしょうか？

商品・サービスの価値を高めるアイデアを出すのにおすすめなのが、ＨＯＷ思考です。ＨＯＷ思考は、常に私が実践し、クライアントにも伝えている思考法です。

「こんなにすごい商品・サービス・提案内容ならお客様はきっと驚くぞ!!」

という、常識の枠を超えたアイデアをまず出します。ポイントは、

「でも……」
「だけど……」
「だって……」

と思ってしまうほど、すごいいいアイデアを出すことです。

そして、「でも……」「だけど……」「だって……」と出てくることをグッと我慢したうえで、

「実現、達成するには、どうすればいいか?」

を考えます。

私のセミナー説明会型セールスの手法を公開している講座を例に、通常の思考とＨＯＷ

思考の違いをお話しします。

通常の思考

成約率が上がる！セミナー説明会型セールスマスター講座

HOW思考

成約率50％保証！セミナー説明会型セールスマスター講座

～成約率50％行かなければ、平均成約率70％越えの私があなたの代わりに売ってきます～

通常の思考ならば、似たようなことを謳っている人がいて二番煎じ感が否めませんし、選ばれることはありません。

しかし、「こんなことできたらお客様にとってすごくないか?!」というHOW思考で考えると、ほかとは差別化できるアイデアが出てきます。このタイトルを見た見込み客は、漏れなくこう言います。

「古山先生、普通は成約率20%ぐらいなのに、成約率50%保証なんて無謀でしょう」

私自身がセールスをすれば、成約率50〜100%は実現できます。しかし、現在20%前後の方や、これからセミナー説明会型セールスにチャレンジする方に「私の講座に参加すれば必ず50%越えを実現できる」と安易に断言できるものではありません。

だからといって、ここで思考を止めてしまっては、HOW思考ではありません。HOW思考という名前のとおり、「どうすれば達成できるのか？」を考えるのです。

私は、次のように考えました。

・変化を出すのに時間がかかり、根気やセンスが必要な話し方や見た目を変える方法ではなく、「応援を増やす」「シナリオを提供する」など再現性を出せるサービスを提供する

・1回目のセミナー説明会型で50%を保証するのではなく、5回目までに50%を達成できなければ、古山が見学してフィードバックする。それでもダメなら、古山が代わり

に登壇する

・支払いのバリエーションを増やし、分割払いの回数を可能な限り多くする

・そもそも50%以上成約率を出せそうな人しか受講させない

どうでしょうか？　最後のアイデアは少し卑怯かもしれませんが、「どうすれば達成できるのか？」と考え続けることで、タイトルで約束していることを達成できる気になってきませんか？

人は、ＢＵＴ思考になりがちです。

「すごいのはわかります。でも、○○という理由でできません」

というものです。心理学の観点からもわかっていますが、人はできない理由、やらない理由を見つける達人です。しかし、その思考法では商品力は向上しません。

ぜひ、あなたもHOW思考で
「こんなにすごい商品・サービス・提案内容ならお客様はきっと驚くぞ‼」
「どうすれば達成できるのか？」
と考え、商品・サービスの価値を見直して、商品の価値を高めてください。そうすれば、できない理由を並べた結果、ありきたりな商品・サービスになっている競合と差別化できます。

ぜひ、この商品の価値を高める思考を身につけていただければと思います。

機会損失を減らすのに必要なものとは

「ほとんどの方が、価値を伝え逃しているからその場で売れない。あるいは、大きく機会損失をしてしまう」

私はこの本でそうお伝えしてきました。機会損失を減らすために、ヒントとなる考え方があります。それは「気配り」です。

私は、セールス、プレゼンテーションは気配りであると考えています。はじめて商品、サービス、オファーに触れるお客様の立場に立って、ご自身のセールストーク、プレゼンテーション資料、ホームページ、売り場、パンフレットなどをあらためて見直してみてください。

その際に、はじめて見る人や業界知識がない人からすると価値がわからない、言葉足らずで不親切なポイントを見つけ次第、可能な限り改善してみてください。

業界に長くいればいるほど、お客様の立場、目線に立つことが難しくなります。その場合は、お客様に意見を求めましょう。ただし、お客様の中には、些末な点や、的外れな点を指摘する人もいます。それゆえに、万全を期したいのなら、私や評判のいいセールス、プレゼンテーション、販売のプロのコンサルティングを受けるのがいいでしょう。

物怖じせずチャレンジを

私がはじめてセールス、プレゼンテーションを体験したのは、大学3年生の時でした。第2章でも軽く触れましたが、民家のインターホンを押し、不用品をもらい、それをオークションサイトなどに出品し、売上を上げることで、プレゼンで勝つための実績づくりをしたのです。

知らない人の家のインターホンを押すのは非常に怖かったことを今でも覚えています。勇気を振り絞ってインターホンを押し、大汗をかきながら拙いながらも必死に言葉で理由を伝え、なんとか玄関を開けてもらう日々を繰り返しました。

「どうしたら怪しまれず、玄関を開けてもらえるのか？　しかも、今よりも早く、短い言葉で……」

こんなことを自問し続ける、変わった大学生でした。

やがて、インターホンを押す前に、事前に自作のチラシを投函すれば、インターホン越しの会話が短くてもドアを開けてもらえることに気づき、チラシづくりに没頭。

そこからは、もらったものをどうしたらより早く、より高く売ることができるのかを追求し続けました。

学生時代の体験を経て、39歳となった2022年の秋までに、自身のサービスを販売するためのプレゼンテーションは、クライアントのプレゼンテーション代行を含めると、700回を超えるまでになりました。

思いどおりにいかないこともありましたが、「どうすればもっとこの商品の価値が伝わるのだろうか？」と自問自答し続け、今では業種業態問わず、極めて高い結果を出し続けられるようになりました。

怖いと思うことにあえてチャレンジを繰り返すこと16年。

700回以上チャレンジし続けた体験から生まれたノウハウを公開したのが本書となります。

そんな私のセールスメソッド、ノウハウの特長は、〝断られないことを強く意識〟したものとなっています。ＨＯＷ思考を活かし、

「言い訳や断り文句が出ないようにするにはどうしたらいい？」

と考え抜いたことで、この技術が完成したのです。

今回お伝えした内容は、私のセールス、プレゼンテーションの技術の基礎、基本です。そのため、あなたの見込み客、お客様、セールスの形態次第では、本書で公開した技術を応用していただく必要があります。

たとえば、「Ｚｏｏｍでセールスやプレゼンテーションをする場合は、参加者、見込み客にはＰＣで入ってもらうようにしましょう」と、私が主催する講座で伝えていますが、これはあくまでもセオリーです。仮に恋愛、婚活などのサービスを若い女性に提供するのなら、ＰＣを持っておらず、スマートフォンからしか参加できない方も多くいらっしゃるでしょう。良い意味で四角四面に捉えずに、あなたのお客様のＢＤＦに寄り添う形で応用、置き換えをしてください。

また、本書では1対複数のセールス、プレゼンテーションの事例やノウハウが多いことから、ハードルが高いと感じる場面もあったかもしれません。しかし、あなたも私と同じように、人生のステージが上がった時は、怖いことや勇気が必要なことに挑戦した時ではなかったでしょうか？

本書のノウハウは、通常のセールス、プレゼンテーションとは一味も二味も違います。それゆえに、ノウハウを用いることには多少勇気がいるかもしれません。

ですが、物おじせずに、ぜひチャレンジしてみてください。

私のノウハウを素直に実践してくださった方は大げさではなく、漏れなく数字を上げることに成功しています。それも、今までにない結果をです！

あなたのステージアップに本書を活用していただければ、これ以上うれしいことはありません。

最後にお伝えしたいことがあります

コンサルタント歴16年目にして、はじめて書籍を出版させていただくことになりました。

私はセールスコピーライターでもあることから、書くことは得意であるはずなのですが、初体験となる書籍の執筆はなかなか進まず、骨が折れました。なぜなら、やる時はやる男であることを自負している私ですが、本来はマイペースで、お尻を叩かれないと進まないタイプなのです。

そんな私を管理、監督してくれたのは、10年来の付き合いの出羽成利さん、出羽桃子さんです。私の教え子であり、今では私を監督する立場になってくれたお二人には、本当に感謝しています。出羽夫婦がいなければ本書が世に出ることはなかったはずなので、まずはこちらでお礼を言わせていただきました。

ここまで私がやって来れたのは、お客様、講座の卒業生の皆様、ライバルでもある同業者の仲間の皆様、師匠のおかげです。

そして、スタッフの皆様、私の家族、愛する人。

この度の出版に関してご助力をいただいた技術評論社の傳智之様。

出版のサポートをしていただいた小山睦男様、天海純様。

この場を借りてお礼申し上げます。

これからも、自身の信条である『売上と誠実の間』という言葉を胸に、本物を世の中に広げられるよう精進してまいります。

最後までご覧いただきまして、誠にありがとうございました。

あなたの成功を心よりお祈り申し上げます。

◆古山から読者への特別プレゼント

最期まで本書を読んでいただいたあなたに少しでも成果を上げていただくために、プレゼント動画をご用意しました。

この動画では、私が本書の内容の中でも特に重要と考えている〝お客様にいかにあなたの商品・サービスの必要性を感じてもらい、欲しくなってもらうか〟の考え方などを、本書とは別の切り口でくわしく解説しています。

プレゼントはこちらから確認可能です。

https://seminar-sells.jp/lp/book

本書の中でお伝えしている内容を、視覚と聴覚を使ってさらに深く理解し、復習として本書を読み返していただくと、今何をすべきなのかが理解でき、自信を持って前に進めることでしょう。

もし、あなたが「いつでも見ることができるから後にしよう」と思ったのであれば、要注意です。

成功する人は、すぐに行動に移します！

あなたも本書で出てきた方たちのように成功したいのであれば、ぜひ今すぐこの動画で学ぶことをおすすめいたします。

このプレゼントが少しでもあなたの成約率アップ、そして売上アップのきっかけになれば幸いです。

●古山正太（ふるやま しょうた）

FRI古山総合研究所株式会社 代表。一般社団法人セールスコピーライティング普及協会 代表理事。

1983年7月生まれ。北海道札幌市出身。札幌大学 経営学部卒。

大学卒業後、実演販売士として「売れ残り品を50億円売り上げるセールストーク」を習得。その後セールスコピーライターに転身、独自の販売トーク術を活かした文章術で業界平均10倍以上の反応率を続出。執筆商品は教材販売6億円超。

事前教育・個別相談ゼロで成約率70％以上を出す独自の台本型セールススライド式セミナーを開発。業界平均成約率20％のところ、自身の平均成約率は86％の実績を誇る。多業種における同メソッド実践者8割が売上5倍、成約率8割を叩き出す。

集客コンサルタント／治療院／整体院／歯科医院／内科／眼科／動物病院／不動産／通販／税理士／美容師／パーソナルトレーナー／パソコン教室／法律事務所／建設業経営／美容整形外科／セミナー集客／短時間睡眠講師／英会話教材／遺品整理／IT企業／野球教室／英語コーチ／自動車整備業／ファイナンシャルプランナー／経理代行サービス整理収納アドバイザー／柔道整復師／エステサロン／カウンセラー／実演販売士／介護サービス／ホームページ制作会社／ウォーターサーバー販売／飲食店経営／帝王学講座／フォトグラファー／スポーツ教材／ボイストレーナー／葬祭業ほか、多業種でのサポート実績を誇る。


【ホームページ】https://www.seminar-sells.jp/

●カバーデザイン……… 小口翔平＋畑中茜(tobufune)
●本文デザイン………… 中井辰也(GIRO)
●編集…………………… 傳 智之

■お問い合わせについて
本書に関するご質問は、FAX、書面、下記のWebサイトの質問用フォームでお願いいたします。電話での直接のお問い合わせにはお答えできません。あらかじめご了承ください。
ご質問の際には以下を明記してください。

・書籍名
・該当ページ
・返信先(メールアドレス)

ご質問の際に記載いただいた個人情報は質問の返答以外の目的には使用いたしません。
お送りいただいたご質問には、できる限り迅速にお答えするよう努力しておりますが、お時間をいただくこともございます。
なお、ご質問は本書に記載されている内容に関するもののみとさせていただきます。

◆問い合わせ先
〒162-0846
東京都新宿区市谷左内町21-13
株式会社技術評論社　書籍編集部
「その場で7割買われる秘密」係
FAX：03-3513-6183
Web：https://gihyo.jp/book/2023/978-4-297-13336-8

その場《ば》で7割《ななわり》買《か》われる秘密《ひみつ》
～「検討《けんとう》します」と先延《さきの》ばしさせない魔法《まほう》の売《う》り方《かた》～

2023年 3月 3日　初版　第1刷発行

著者　古山正太《ふるやましょうた》
発行者　片岡巌
発行所　株式会社技術評論社
東京都新宿区市谷左内町21-13
電話　03-3513-6150　販売促進部
03-3513-6166　書籍編集部
印刷・製本　昭和情報プロセス株式会社

定価はカバーに表示してあります。

造本には細心の注意を払っておりますが、万一、乱丁(ページの乱れ)や落丁(ページの抜け)がございましたら、小社販売促進部までお送りください。送料小社負担にてお取り替えいたします。

ISBN978-4-297-13336-8　C0034
Printed in Japan